D0571438

EAST INDIA AND COMPANY

Paul MORAND

EAST INDIA
AND COMPANY

Traduit de l'anglais
par Béatrice Vierne

arléa

Librairie Les Fruits du Congo
8, rue de l'Odéon, 75006 Paris

IL A ÉTÉ TIRÉ
DE L'ÉDITION ORIGINALE DE CET OUVRAGE
CINQUANTE EXEMPLAIRES SUR VERGÉ INGRES
DES PAPETERIES DE LANA
NUMÉROTÉS DE 1 À 50
ET SEPT HORS COMMMERCE NUMÉROTÉS
À LA MAIN DE H.C. 1 À H.C. 7

I.S.B.N. 2-86959-021-0
© Octobre 1987 - Arléa

Note de l'éditeur

Paul Morand, troisième vie

On reconnaît les grands écrivains à ce privilège qu'ils partagent avec l'âme des hindous ou les boudhistes fervents : la faculté, après leur mort, de se réincarner plusieurs fois. C'est la preuve que leur œuvre ne devait pas seulement aux curiosités d'une époque ou à l'habileté d'une attachée de presse. Ainsi, de loin en loin, passés les intervalles d'oubli — les « purgatoires » —, de nouvelles générations de lecteurs redécouvrent-elles une littérature en état de marche. Elles le font avec une intrépide fraîcheur d'âme et quelques raisons particulières qui, elles, peuvent varier avec le temps. Le vrai cadeau de la postérité, c'est cela : être aimé successivement dans toutes les positions.

Mort le 23 juillet 1976, Paul Morand — et les soixante-

deux livres qu'il a signés — entame tout juste, me semble-t-il, sa troisième vie. C'est au cours de la seconde que je fis, pour ma part, sa connaissance. Nous étions en 1963. *J'avais dix-neuf ans et lui soixante-quinze. Découvrant Morand sans le dire autour de moi, je commettais quelque chose comme un péché mortel. C'est dire si je m'en souviens. Nous étions alors sérieux et solennels comme l'étaient les jeunes gens de l'époque ; plutôt sartriens, inscrits à l'UNEF et préoccupés par l'inconséquence — déjà ? — du prolétariat mondial.*

Nous avions vaguement entendu dire qu'il existait une littérature moins pesante que celle des Chemins de la liberté *ou des* Frères Karamazov *mais nous n'étions pas allés voir de près. Faute de temps peut-être ou par l'effet d'une prudence minimale. Ce n'était pas le moment de succomber aux joliesses bourgeoises. Trahir Billancourt en somme. Paul Morand jusqu'alors — je devais le confondre avec Pierre Benoît ou Maurice Dekobra — ne m'inspirait pas de curiosité particulière. En voilà un, pensais-je, qui rédige des histoires exotiques pour lectrices convenables et d'un certain âge. Elles sont surtout lues dans les villes d'eaux, par des dames languides en peignoir-éponge et des notaires de province qui tiennent, par exemple, André Maurois pour un grand écrivain. Chacun chez soi. Sur une autre planète, nous lisions Lautréamont.*

C'est dans une librairie de Bordeaux, aujourd'hui disparue, que j'achetai un jour, assez distraitement, une quinzaine de volumes, d'occasion mais pas trop défraîchis et reliés d'un beau

Note de l'éditeur

cuir rouge pour la bibliothèque d'un vieil hôtel de la Côte d'Argent, ainsi que l'indiquait un tampon violet apposé sur la page de garde. Magie noire, Bouddha vivant, Papiers d'identité, New York... Peut-être les titres m'intriguaient-ils ? Je crois surtout qu'il me sembla inespéré d'obtenir tant de « vrais » livres pour le prix d'un volume triple du Livre de poche. Au poids, j'y gagnais déjà. Puis, tout de même, je lus !

Comment dire ? Un séminariste brusquement introduit au Crazy Horse saloon ; un abstinent oublié dans les caves du Château Margaux ; un végétarien confronté pour de vrai au menu de Porthos et Louis XIV dans Le Vicomte de Bragelonne n'eussent pas éprouvé de plaisir plus fulgurant ni plus coupable. L'incongruité savoureuse des images, ce jazzé de l'écriture, le rythme nègre dans la syntaxe ; ces manières maigres et rapides, « affûtées » comme disent les entraîneurs sportifs et — par-dessus tout — cette rebondissante jeunesse de ton, le côté Dorian Gray de Morand... Coup de foudre : j'avalai mes quinze bouquins de cuir rouge sans respirer. Puis j'en trouvai d'autres, et d'autres encore : L'Homme pressé, Milady, Hécate et ses chiens, Rien que la terre...

Ainsi devais-je à un vieux monsieur de l'âge de mon grand-père une manière de dépucelage littéraire que j'aggravai sans tarder par d'autres escapades « chez l'ennemi ». Portés vers l'esprit de clan, de secte ou de groupe comme on l'est à cet âge, nous fûmes quelques-uns à tremper dans la même conjuration.

East India and company

En littérature, nous prenions notre vertu à gauche et notre plaisir à droite. Cette condition d'agent double, rarement avouée à la faculté, nous flattait évidemment. Elle nous fournissait en outre les rudiments d'une connivence dont nous aimions nous chuchoter les signes et les codes, heureux qu'ils fussent, pour les autres, incompréhensibles. Secte de lecteurs, nous cooptâmes de proche en proche une secte d'écrivains ; ou du moins ce que nous prenions pour telle en découvrant, entre eux, des correspondances, des amitiés ou — ce qui revient presque au même — de fugitives rivalités littéraires.

Paul Morand était l'un des soleils de cette constellation, de loin le plus baladeur. (Nous avions lu quelque part qu'entre deux tours du monde et à soixante-dix ans passés il se rendait à l'Académie française en Morgan décapotée !) Roger Nimier, plus jeune d'un demi-siècle, voyageait aussi souvent mais en Aston-Martin et il allait surtout à Twickenham ou au Parc des Princes. On apercevait déjà Antoine Blondin sur le Tour de France dans la Renault 16 du journal L'Équipe. *On attendait — déjà — que Bernard Frank se mît à écrire des livres que promettait le ton d'*Un siècle débordé *(ah, le ton !). François Nourissier et Jacques Laurent avaient beaucoup d'avance. Michel Déon, période grecque, campait à Spétsaï. Jacques Chardonne figurait une sorte de Montherlant moins la grandiloquence. Et Marcel Aymé — dont, éblouis, nous découvrions sans cesse de nouveaux titres et qui avait bien gagné le droit de se taire — n'aimait plus guère, disait-on, que les parties de*

10

cartes au café et les histoires grivoises. Sur les marges veillaient des livres et des auteurs de la même galaxie à qui, en 1987, justice n'est toujours pas rendue : Kleber Haedens, André Fraigneau, Stephen Hecquet, Albert Vidalie... Quant aux étoiles les plus lointaines et tombées depuis belle lurette dans la voie lactée du domaine public, leurs simples noms et qualités fournissaient autant de mots de passe : Paul de Gondi, cardinal de Retz, Saint-Simon, Alexandre Dumas et bien entendu Stendhal dont il semblait bien que tout procédât. Cette « famille » littéraire — dans laquelle Morand, comme par mégarde, m'avait introduit — participait, en tout cas, du même principe : le sec au lieu du mouillé, le coup de cravache plutôt que le coup de cafard, l'écriture cambrée et non la confidence répandue. Et aussi peu d'adjectifs que possible. Stendhal contre Flaubert, en trois mots.

Familles ? Sectes ? Constellation ? Les jeunes gens de province que nous étions ignoraient tout — sauf les échos du journal Arts *— des petits secrets de la république des lettres. Nous ne savions pas quelle sorte de liens unissait — ou non — ceux de nos auteurs qui vivaient encore. Mais leurs livres, leurs articles, leurs préfaces parlaient pour eux et nous apportaient les indices, voire les preuves, de leur parenté littéraire. Morand et Nimier préfaçaient alternativement les rééditions des* Trois Mousquetaires *dans le* Livre de poche, *Nimier et Chardonne s'écrivaient « à lettres ouvertes », Blondin et Fraigneau se renvoyaient des citations ; tous évoquaient Retz et Saint-Simon, etc. Aucun*

11

hasard dans tout cela. Ces fils entrecroisés, ces résonances atten-
dues, ces clins d'œil d'un livre à l'autre, nous n'en demandions
pas plus. Ajoutons qu'un même ostracisme de bon ton frappait
ces écrivains trop à droite pour une époque qui s'obstinait encore
— s'en souvient-on ? — à réclamer aux romanciers leur casier
judiciaire politique. De leur lecture nous tirions donc, en plus du
reste, un plaisir sans équivalent : celui de manquer aux convenances, de choquer son entourage.

Puis, les ayant lu, c'est surtout Morand que, pour ma part, je
me pris à relire. La vie m'avait fait journaliste et voyageur. Je ne
connaissais point, pour ce métier-là, de meilleur professeur. On
sait quel défi il s'agit, reportage après reportage, de relever :
faire tenir l'immensité du monde en quatre feuillets sténo. Ce
n'est guère plus facile que de rebâtir, sur commande, un trois-
mâts dans une bouteille. Or, de cette performance, Paul Morand
possédait le secret. On le trouvait dans ces nouvelles ou récits
orageux, crépitant d'images et qu'on eût dit rédigés pour un
manuel de l'apprenti reporter. Avec une surprise en cadeau : ces
choses maigres et rapides, ces instantanés : Bucarest, New
York ou Venises, ne vieillissent pas. Publiées en 1929, les
pages sur la remontée de Manhattan se relisent mieux,
aujourd'hui encore, qu'un reportage de Rolling Stones. Dans
Morand, à bien regarder, on vérifiait une autre évidence que je ne
conseille pas aux jeunes reporters d'oublier. Contrairement à ce
qu'on dit partout, ce n'est pas le journaliste qui est pressé mais
ses lecteurs. D'où l'impérieuse nécessité, très « morandienne »,

12

Note de l'éditeur

de proscrire d'un reportage la mauvaise graisse des subordonnées, le chiendent des adjectifs, la désolante cellulite des adverbes. Bref, j'emmenais assez souvent Morand dans les avions.

Peu après, soyons juste, j'oubliais tout cela et Morand avec. Je crois bien qu'autour de moi on fit, au même moment, la même chose. Affaire d'âge ou d'époque. Je ne me souviens pas, en tout cas, que vers le milieu des années soixante-dix on lût encore beaucoup Paul Morand parmi les gens de mon âge. Sa deuxième vie littéraire s'achevait sans doute en même temps que sa vie tout court. Ce n'était pas si grave. Sans transition, la troisième allait commencer par une réincarnation surprise.

On vit subitement en effet, vers 1978-1979, des jeunes gens bien plus « à gauche » que nous l'étions vanter publiquement les mérites de feu cet académicien très tweed et flanelle et jadis sensible au pétainisme ; des journalistes de Libération *ou d'*Actuel *se repasser son nom et ses livres comme des secrets, et de très jeunes étudiants s'enchanter, à leur tour, de* Magie noire, Lewis et Irène *ou* Fermé la nuit. *En 1980, Jean-François Fogel, ancien de* Libé, *publiait chez Grasset sous le titre* Morand Express *une manière d'hommage-biographie qui témoignait avec acuité de cette providentielle réincarnation. Paul Morand, en somme, rebondissait une fois encore et toute une génération, une nouvelle, lui faisait fête. C'était bien. La mode, au demeurant, en revint aux Hussards — anciens ou nouveaux — et, à vingt ans de distance, nous vîmes bientôt se reformer la même nébuleuse littéraire, ses codes, ses facéties. Avec*

East India and company

la joie un peu mélancolique d'anciens combattants de la lecture
devant un remake de leur jeunesse. Nous en sommes là.
Morand a tout l'avenir pour lui. Tant mieux.

Mais venons-en à East India and company et au bonheur
d'être in fine l'éditeur de celui qu'on a tant lu. Soixante-deux
livres ce n'est pas rien. Lire Morand c'est arpenter un vaste
territoire qu'on apprend, peu à peu, à si bien connaître qu'on
s'intéresse finalement aux recoins oubliés, zones d'ombres, livres
introuvables, recueils épuisés. Cela prend du temps. Vient un
moment, malgré tout, où l'on a tout lu excepté ce qui est,
décidément, inaccessible. La curiosité s'en accroît d'autant. Ce
fut longtemps le cas pour East India and company. Ce livre
extravagant clignotait dans toutes les bibliographies de Morand
comme une étoile mystérieuse. « Inédit en français », la mention
nous tirait l'œil, on peut le comprendre. Il nous fallut quelques
solides complicités dans la confrérie des inconditionnels de
Morand et — surtout — l'amicale confiance de Gabriel Jardin,
son héritier, pour nous retrouver, un jour de l'été 1986, en
possession de l'introuvable « objet ». Jusqu'alors nous connais-
sions à peu près son histoire mais pas son contenu.
Désigné le 3 juin 1925 pour « assurer la gérance de la
légation de la République à Bangkok » Morand avait rejoint

son poste — *et en était revenu* — *en empruntant le chemin des écoliers. D'où un nonchalant tour du monde :* États-Unis, Canada, Japon, Chine, Manille, Singapour, Cambodge, Aden, Djibouti, *etc. De cette boucle fastueuse il avait tiré un récit de voyage éblouissant et désinvolte,* Rien que la terre, *publié en 1926. Ce fut ce livre et son succès* — *il rompait délibérément avec l'exotisme littéraire d'alors* — *qui décidèrent, j'imagine, les deux frères Boni, éditeurs très* in *de New York à proposer à l'écrivain français déjà célèbre une singulière expérience : celle d'un recueil de nouvelles inspirées du même tour du monde mais qui seraient écrites directement en anglais.*

*Parfaitement bilingue, et sûrement fouetté par ce défi, Morand s'exécuta. Il livra aux frères Boni douze nouvelles, marquant autant d'étapes du grand voyage et constituant, en 1927, l'édition originale d'*East India and company. *Mais il avait un peu triché. Deux d'entre elles,* Poisons à échéance *et* Gone Native, *datées de 1925, avaient été, semble-t-il, préalablement écrites en français puis traduites par Paul Morand pour l'occasion. Elles furent d'ailleurs publiées en France en 1928 (chez Lapina) sous le titre* Nœuds coulants *puis reprises en 1933 (chez Grasset) dans le recueil intitulé* Rococo. *Nous ne les avons évidemment pas retraduites ni insérées dans la présente édition. Pour une troisième,* L'Enfant de cent ans, *le cas de figure est un peu plus compliqué. Dans* East India and company, *Morand, vraisemblablement soucieux d'étoffer son manuscrit, a transposé en Asie, modifié et*

15

traduit en anglais, une ancienne nouvelle datée de 1923 et reprise, elle aussi, dans Rococo. Les deux textes — français et anglais — sont néanmoins si différents qu'il nous a paru logique d'en traduire ici la version asiatique et new-yorkaise. Les amateurs trouveront plaisir — et profit — à comparer les deux. Comment rusent les écrivains !

Pour les neuf autres, en revanche, qui constituent l'essentiel et la réussite de ce livre, les choses sont claires : elles ne furent jamais traduites ni publiées en France jusqu'à aujourd'hui. Dès 1928 — et pour longtemps — Paul Morand, il est vrai, fut mobilisé par d'autres projets, d'autres voyages, d'autres nouvelles et ne fut certes pas, on peut le croire, à un livre près. C'est bien de réincarnation qu'il s'agit. On verra que le fantôme n'a pas mauvaise mine. Voici, comme on dit, une œuvre de maturité.

*Reste un paradoxe à évoquer. Il n'est pas courant pour un éditeur d'avoir à traduire, en français, un grand écrivain... français. L'entreprise, d'abord, nous intimida. Comment allions-nous éviter l'un et l'autre des deux ridicules également menaçants : soit mettre « à plat » du Paul Morand par excès de fidélité à son anglais, soit « faire » du Morand en s'appliquant à singer ses tournures... Oserai-je dire qu'une lecture attentive du texte original, autant que le scrupuleux talent de Béatrice Vierne, la traductrice, nous ont rassurés. Pour bilingue qu'il fût, l'auteur d'*East India and company *n'en demeurait pas moins, et d'abord, un écrivain français. D'où une transparence*

Note de l'éditeur

de son anglais, une manière très française (trop ?) et très
« morandienne » d'écrire pour les New-Yorkais, un gallicisme
généralisé en somme qui dut surprendre les lecteurs de Manhat-
tan mais nous facilita la tâche. Traduire un texte aussi nette-
ment — et involontairement — codé par son auteur revenait à
gratter une mince pellicule de vocabulaire et de syntaxe. Sous la
surface immédiate des mots, dessous le faux nez de son anglais,
dans l'architecture même des phrases, Morand tout entier était
déjà là. Nous n'avons fait, espérons-le, que tirer le voile et le
rendre à lui-même.

Jean-Claude Guillebaud
août 1987

I
Archie Spencer

Conte oriental retraçant le salut miraculeux
d'un chasseur d'animaux sauvages

Parmi toutes les lignes de paquebot qui traversent
l'océan Pacifique, je préfère, voyageant plus pour les
affaires que pour le plaisir, celles qui empruntent la
voie la plus courte. Je passe donc d'ordinaire par le
nord, à travers les brouillards polaires qui recouvrent
les plus grandes profondeurs marines du monde et ce,
bien que la traversée soit sinistre. Les navires de la
compagnie « Empress » doivent s'y frayer un chemin
à tâtons, au milieu des dangers, et leurs cornes de
brume mugissent pendant douze journées sans soleil.
La ligne ininterrompue de l'horizon n'est que rarement brisée par le jet d'eau d'une baleine qui traverse
fugitivement ces étendues sans limites. C'est la route

des voyageurs pressés qui veulent gagner du temps en atteignant l'Orient le plus rapidement possible, ceux qui possèdent ce tempérament, regrettable mais typique des Occidentaux, qui les incline à croire que la vie est trop courte.

Sur l'un de ces paquebots, je fis la connaissance d'Archie Spencer, un Américain qui faisait le commerce des animaux sauvages. Je partais en Asie pour un an, Spencer, lui, ne comptait y rester que huit jours. C'était son seizième voyage. Son métier consistait à découvrir et acheter des animaux et volatiles vivant dans la jungle, le désert ou les zones polaires, puis à les ramener aux États-Unis pour le compte de sociétés zoologiques et autres institutions. Il se mettait en route armé d'une liste de bêtes féroces et vaquait à ses occupations aussi posément que d'autres vont faire leurs provisions chez l'épicier. Lorsque le bateau relâchait à Shanghaï, il expédiait à ses agents toute une liasse de télégrammes puis repartait en toute hâte vers Singapour, centre de ses activités.

Singapour — qui en malais signifie Cité du Tigre — est le plus grand marché d'animaux sauvages du monde. Au carrefour de l'Orient et de l'Occident, la ville est comme un nœud qui lierait ensemble ces deux extrêmes. C'est une manière d'immense place publique, peuplée de nombreuses races, vivement colorée par la nature. De la campagne et des îles environnantes, toutes sortes d'animaux y affluent : grands pythons des îles malaises, éléphants du Siam, cobras royaux de l'Inde, panthères noires de Bornéo, kinkajous d'Australie, perroquets de nombreuses îles et singes de toutes espèces, venus de partout.

Durant les douze journées de brouillard, Archie Spencer me conta tout cela, entre deux parties de poker. C'était un grand gaillard, né dans le Colorado, dont le visage aux traits allongés avait quelque chose d'indien malgré une mâchoire de champion de boxe. Pourtant, on lisait dans ses yeux gris acier bien des choses profondes et subtiles, des choses qui sans conteste ne viennent pas de l'Occident. Il y avait chez lui je ne sais quoi de félin et de dur à la fois. De même qu'Orphée charmait les bêtes féroces, il me charma par ses récits qui m'ouvraient, avant même que je ne les eusse atteintes, les vastes forêts tropicales. Je dus faire appel à toute ma volonté pour le laisser débarquer à Yokohama sans planter là tous mes projets, pour me joindre à lui et partager ses exploits aventureux. A ce qu'il me dit, il lui arrive de chasser lui-

21

même et il ne saurait y avoir de traque plus éprouvante que celle où l'on doit, à tout prix, ramener sa proie vivante. Ainsi lui arriva-t-il de passer des journées entières à guetter un gorille géant dans sa tanière, jusqu'à ce qu'il fût parvenu à le capturer en substituant un breuvage alcoolisé à l'eau que l'animal avait coutume de boire toujours au même endroit. Ce fut un monstre ivre mort que l'on embarqua pour un voyage de plusieurs milliers de kilomètres au terme duquel l'attendait une vie de captivité. Cependant, en règle générale, Spencer laisse plutôt la jungle venir à lui. Vêtu de pongé blanc, il reste confortablement installé au Raffles club de Singapour, à siroter des cocktails *Un Million de dollars* (un blanc d'œuf, une mesure de gin, le jus d'un demi-citron, quelques gouttes de curaçao et un trait de grenadine). Il a passé commande et prend ses aises en attendant l'arrivée de ses agents malais, ou dayaks, reconnaissables à leurs cheveux qu'ils portent aussi longs que ceux d'une femme.

Au cours de son dernier voyage, me raconta Archie Spencer, un bateau était arrivé de Bornéo. A son bord se trouvait un jeune orang-outang. Cet animal, aussi poilu qu'une noix de coco, agitait à travers les bambous de sa cage deux longs bras frénétiques qui n'étaient pas sans faire penser aux branches d'un saule secouées par le vent. Il se montrait si violent qu'il fallut lui enfiler une camisole de force improvisée.

Il parvint néanmoins à échapper à ses deux gardiens pour bondir sur l'Américain, les bras grands ouverts, prêt à l'étrangler. Spencer l'accueillit par un direct à la mâchoire qui le laissa étendu pour le compte. Après quoi, il tira son carnet de chèques et fit charger son adversaire groggy sur un navire à destination de Seattle...

Un steward chinois, en longue tunique de soie bleue, parut sur le pont pour frapper le gong qui conviait les passagers à descendre dîner. Nous nous séparâmes, mais dès que j'eus avalé mon repas et laissé le vent du large consumer mon cigare j'allai rejoindre l'Américain, souple et musclé dans son spencer de lin blanc. Il était sans discussion, me dis-je, bien supérieur à toute la faune de consuls, négociants et autres missionnaires que nous avions à bord. Et Archie poursuivit ses récits sur les animaux et leur capture, me régalant d'un nouveau *Livre de la jungle*. Il me conta, notamment, l'histoire de cette panthère noire qui, en route pour La Nouvelle-Orléans, s'échappa en rongeant le plancher pourri de sa cage et partit faire le tour du bateau. Une journée entière, les passagers furent consignés dans leurs cabines, tandis que l'on pourchassait le fauve de pont en pont. Pour finir, prise de panique, la panthère sauta dans la mer où quatre requins semblaient justement l'attendre. Ils la reçurent sur le bout de leurs nez qui pointaient hors de l'eau et se la lancèrent comme un ballon de water-polo ; quelques instants plus tard, il ne restait plus qu'une flaque de sang à la surface de l'eau...

Il était presque minuit et Archie se leva pour prendre congé.

— Ne partez pas encore ! Parlez-moi plutôt de ce cobra qui vous a bondi dessus en sifflant. Lui avez-vous vraiment emmailloté la tête dans votre veston ?

— Je vous raconterai cela demain, répondit Archie qui préférait passer la soirée à danser avec une fort jolie créole. Et je vous parlerai aussi de ma mésaventure chez le Chinois Ah-Tchou.

— Ah-Tchou ! Avouez que celui-là vous venez de

l'inventer, Archie ! Ce n'est pas un nom, c'est un éternuement. Ah-Tchou ! Comment va votre rhume ?

— Je puis vous garantir que pour moi ce ne fut pas une plaisanterie, me rétorqua Archie. Ce « rhume » a bien failli me coûter la vie.

Archie Spencer commença son récit :

— Il y a environ six ans, au mois d'octobre, je suis arrivé à Singapour. La saison des pluies touchait à sa fin. Je venais de passer quelque temps en France où je m'étais adonné à un type de chasse tout à fait différent. Je n'étais pas retourné en Orient depuis le début de la guerre. Comme vous l'imaginez, mes affaires n'allaient pas fort. Impossible de remettre la main sur la plupart de mes agents indigènes juste au moment où j'avais une liste qui n'en finissait pas. Je me rappelle que c'est à l'occasion de ce voyage que j'ai ramené Catherine, la tigresse au ventre blanc du zoo de Chicago ; elle avait sept ans à l'époque. Et puis, il y avait Orange Bitters, un chimpanzé femelle que j'ai envoyé au jardin zoologique de Baltimore (elle a eu deux fils depuis) ; et aussi un léopard qui est mort et Jackie, le petit éléphant de Madras qu'un milliardaire avait acheté pour ses enfants. Il y avait enfin les six boas constrictors du cirque Van den Plas — vous savez, les célèbres boas qui faisaient sauter le bouchon d'une bouteille de whisky mais dédaignaient la bouteille d'eau. A cette époque, je n'avais pas la patience d'attendre tranquillement mes agents à l'hôtel et je faisais moi-même une bonne partie du travail. Je me transformais en prédateur nocturne, à l'instar de la bête que je voulais prendre, et, chaque soir, je me frayais tant bien que mal un chemin à travers les bazars chinois de Singapour où l'on voit des canards attachés par une patte qui attendent d'être laqués. Les cris des paons et des cygnes, les aboiements des chiens emplissaient l'air, dénotant chez eux un net désir de rester en vie plutôt que d'être transformés en conserves. Cependant, ma quête était vaine, ou presque ; les sociétés zoologiques d'Anvers et de Paris avaient dépêché leurs agents pour la première fois depuis la guerre et ceux-ci avaient littéralement nettoyé la place. Jamais je n'ai connu une telle disette d'animaux. J'ai donc quitté Singapour pour Saïgon, en Cochinchine française, dans l'espoir d'y trouver au moins un ou deux tigres originaires des montagnes entourant Dalat ; elles culminent à 1 600 mètres et les bêtes qui y vivent doivent aux rigueurs du climat une fourrure beaucoup plus drue que celles des régions équatoriales. Un soir où j'étais assis à la terrasse du Continental, je suis tombé sur l'annonce suivante dans le journal local :

Archie Spencer

A vendre
Tigres, éléphants, panthères, chats sauvages
Ah-Tchou, Cholon, 381, rue Joffre

Cholon est le nom de la ville chinoise, alors que
Saïgon est le fief des Européens. On a dit de l'Indochine française que c'est une colonie de Chinois gou-
vernée par des fonctionnaires français et il y a du vrai
là-dedans. Les Chinois vivent à Cholon à peu près
comme à Singapour ou Bangkok ; ils sont prospères,
gras, avides et toujours prolifiques. Ils s'arrangent
pour se soustraire aux impôts et se protéger des ris-
ques, des extorsions et des vols qui minent leur propre pays ; ils parviennent même à amasser des richesses fabuleuses. A ce propos, avez-vous remarqué que
les Chinois, qui vivent de façon si frugale dans leur
propre pays, sont justement ceux que vous voyez
s'enrichir et mener grand train dès qu'ils en sont sortis ? Or, ils sont plus de dix millions à vivre hors de
Chine. Mais, pour en revenir à nos moutons : je hélai
un *rickshaw* — à Saïgon on disait un « pousse-
pousse » — et je partis pour Cholon. Les rues étaient
étroites et sombres, comme d'habitude ; on avait
l'impression de traverser des souterrains infernaux,
équipés d'enseignes verticales où l'on pouvait lire de
petites inscriptions chinoises peintes en or sur fond

de laque rouge ou noire. Des silhouettes impassibles, à demi nues, se faufilaient dans ces allées, comme des caractères disparaissant entre les pages d'un grand livre posé debout. Les auberges chinoises étaient pleines de bruit, de cris, d'un tumulte meurtrier et du claquement des pions de mah-jong, qui se prolongeait toute la nuit, semblable à de la grêle sur un toit de tôle. Les théâtres retentissaient de tintements de cymbales, de gémissements de gramophones et du vacarme infernal auquel les chanteurs d'opérette ajoutaient leurs notes suraiguës. Aux étages supérieurs, se réfugiant voluptueusement dans l'oubli de la vie et du monde, gisaient les fumeurs d'opium, allongés sur le dos, servis par des jeunes filles portant des guirlandes de gardénias autour du cou. Je laissai tout cela derrière moi, longeai une allée obscure et franchis un canal où les jonques étaient si serrées qu'il n'y avait pas besoin de pont. Je ressortis non loin de la route de l'Inspection et de la station de T.S.F., dans un quartier de jardins silencieux et de ces villas appartenant aux Chinois nantis, qui, partout, ont à peu près la même apparence. Sur une grille, une plaque en cuivre m'indiqua que j'avais atteint ma destination. Je m'avançai à travers un bouquet d'arbres fort dense — un morceau de jungle qu'on avait laissé debout — et j'arrivai devant une petite maison tout à fait dans le style de celles où vivent les Chinois à l'étranger ; elle était très sale, mais un peu partout des pots de fleurs en porcelaine bleue débordaient de fougères et d'orchidées. L'endroit dégageait une puanteur épouvantable : à l'odeur de charognes en décomposition, à la senteur des rats musqués et aux effluves écœurants des civettes se mêlait le parfum des bâtons d'encens qui brûlaient devant le Bouddha protecteur. Mon entrée fut saluée par l'éclat de rire strident d'un moineau de Java caché quelque part. Comme toujours, le sol de la maison était au même niveau que le terrain sur lequel elle se dressait, comme on peut le voir dans les dessins primitifs où les artistes, pour révéler l'intérieur, se contentent de gommer les murs. L'endroit semblait vide. J'entendis, au bout de la rue, les crachotements de ces pétards chinois qu'on fait claquer les jours de fête pour mettre en fuite les mauvais esprits. Je me rappelai soudain avoir noté, en traversant Cholon, que la ville entière était décorée de lanternes et de drapeaux aux cinq rayures. Bien sûr ! C'était l'anniversaire de la République chinoise. Ah-Tchou et sa famille étaient probablement allés retrouver des amis pour boire de l'alcool de riz ou de la liqueur de fruit, en dévorant quelques mets de choix, tels que des nids d'hirondelles. C'était pour cela que la maison était déserte et je m'étais, semblait-il, dérangé pour rien.

Pourtant, quelques bruits en provenance de la salle à manger me laissèrent croire un instant qu'il y avait quelqu'un — il s'agissait en fait de la plainte d'un chat solitaire et du vrombissement d'un ventilateur qu'on avait laissé branché — et je traversai le salon, banal et de mauvais goût, orné de photographies d'un jeune Chinois au visage bouffi et méchant et d'une jeune femme blanche assez commune. Sur une table en laque rouge étaient posés plusieurs bibelots de porcelaine bon marché, fabriqués à Shanghaï pour les touristes ; sur les murs, des paons empaillés, poussiéreux et moisis, et quelques bandes de soie rouge sur lesquelles étaient brodés au fil d'or des emblèmes portebonheur.

Au moment où je m'apprêtais à sortir, une voix de femme appela en français :

— Monsieur ! Monsieur !

Je revins sur mes pas et trouvai dans le salon une porte entrouverte qui donnait sur un escalier. La voix semblait venir d'en haut et je montai quelques marches, mais sur le palier une autre porte me barrait la route.

— Monsieur ! Ne partez pas ! Écoutez-moi... aidez-moi.

Levant les yeux, je vis au-dessus de la porte qui ne montait pas tout à fait jusqu'au plafond un visage de femme : un joli petit visage, tout rond, avec des joues roses, des cheveux noirs et des yeux bleus.

— Pourquoi ? Que voulez-vous que je fasse ? demandai-je.

— Vous êtes américain, n'est-ce pas ? Moi, je suis irlandaise. Je vous ai vu entrer dans la maison. Il faut me sauver ! Je suis enfermée à clef dans cette pièce et je ne peux pas sortir. Enfermée par mon mari... C'est affreux !

Elle s'était hissée jusque-là, Dieu sait comment, au risque de se rompre le cou, et se tenait en équilibre des plus instables, juchée sur la poignée de la porte.

— Mais qui est votre mari, madame ?

— Ah-Tchou. Je suis Mme Ah-Tchou. Je suis chinoise à présent. Oui, chinoise depuis deux mois, par mon mariage. Jusqu'à la semaine dernière, j'étais malheureuse mais c'était supportable. Seulement, depuis, j'ai rendu visite à des Français et maintenant la famille de mon mari me retient prisonnière.

— Voulez-vous que j'appelle la police ?

— La police ne pourra rien faire. Je suis chinoise selon la loi. C'est la vérité. J'ai cru faire un beau mariage quand j'ai épousé Ah-Tchou et voyez dans quelles difficultés je me trouve à présent. Il va me tuer, vous savez. Un Chinois a l'air tout à fait acceptable quand on le rencontre hors de Chine ; on pourrait même croire qu'il est comme tout le monde. Mais dès qu'on pénètre vraiment chez lui, on comprend à qui on a affaire : à un sauvage, à une brute ! Tenez, j'aimerais mieux être capturée par des cannibales ou jetée en pâture aux fauves. Ils m'ont mise en cage comme ils le font avec leurs animaux et ils me traitent exactement de la même manière : je suis nourrie deux fois par jour... C'est la providence qui vous a amené ici. Sauvez-moi ! Emmenez-moi avec vous ! Cachez-moi ! Ils ne rentreront qu'à la nuit tombée. Je m'appelle Flora O'Dell.

Je ne pus m'empêcher de rire. Chinoise ! Cette petite avec son accent de Londonderry et ses façons de New-Yorkaise, ces grands yeux bleus, ronds comme des billes, ce teint rose d'Aryenne et ces dents qui n'avaient jamais touché la noix d'arec. Une vraie Chinoise, en effet ! C'était absurde. Nouvelle preuve, me dis-je, du tort éternel des mariages mixtes, probablement l'une de ces unions sottes et hâtives entre une femme blanche et un homme à la peau plus sombre, que nous ne pouvons pardonner, mais que nous devons accepter comme bien d'autres choses aussi déplorables qu'inévitables, puisque dans ce genre d'affaires, nous ne laissons jamais les amères expériences d'autrui nous servir de leçon.

Le père de Flora O'Dell était un maître d'école ivrogne. Au Mexique, elle avait fait la connaissance d'un jeune Chinois qui se disait étudiant et parlait souvent de la grande richesse de sa famille en Chine. Il s'en était suivi une fugue et un mariage précipité, puis l'arrivée à Cholon, les révélations, les désillusions. Elle s'était retrouvée sous la coupe d'une Annamite, première épouse de son mari, et d'un beau-père tyrannique, Ah-Tchou, qui l'avait forcée à se conformer au mode de vie chinois. Son mari qui, à New York, lui avait paru si distingué, si américain, qui avait prétendu être ingénieur, portait des costumes gris fort chics et sifflotait les blues en vogue, une fois de retour chez lui et vêtu à la mode de son pays, perdit tous ces attributs pour redevenir un Asiatique taciturne, une nullité insignifiante, entièrement soumis à la volonté d'un père qui faisait la loi et dont il encaissait l'argent et les coups avec une égale humilité. Ce vieux Chinois, Ah-Tchou, marchand d'animaux sauvages, dominait sa famille et dirigeait sa maisonnée d'une main de fer. Il était sournois, avare et silencieux. Ayant conçu une antipathie instantanée envers sa nouvelle bru, il l'avait enfermée dans sa demeure, cernée par les bêtes féroces et l'odeur omniprésente de la viande avariée. Voilà comment elle s'était retrouvée au milieu des claquements de fouet en provenance de la cage de dressage et des hurlements des animaux fous furieux que l'on s'attendait, à tout moment, à voir surgir hors de leurs fragiles enclos. Derrière ces grilles et dans ces remises, il devait bien y en avoir pour deux cent mille dollars...

La voix d'Archie se chargea d'émotion lorsqu'il m'expliqua pourquoi il était venu en aide à la belle. On aurait dit qu'il m'avait oublié, qu'il avait oublié le bar, le navire et l'océan. Il se croyait revenu dans cette maison déserte de Cholon sur laquelle tombait la nuit, tandis que l'encens en se consumant chargeait l'air de son parfum et qu'une jeune femme le suppliait de l'arracher au péril jaune. Il escalada la porte, ce qui lui permit de voir la pouliche irlandaise dans son box. Ce n'était qu'une enfant de vingt ans à peine et son visage — qui, quoique dépourvu de finesse, n'en était pas moins tout à fait ravissant — était maintenant gonflé par des larmes d'infinis regrets. Il parvint à se glisser dans la pièce et elle se précipita dans ses bras, se cramponnant à lui de toutes ses forces. Ses mains, couvertes de gros bijoux d'assez mauvais goût, se crispèrent avec frénésie autour du cou de Spencer comme si elle se noyait. S'il avait eu le moindre scrupule, cela acheva de le dissiper et une évasion fut projetée pour la nuit même. Ah-Tchou ne devait rentrer que fort tard et il serait certainement ivre. L'épouse annamite était partie séjourner dans les montagnes. Le bruit des réjouissances populaires permettrait à Archie de revenir sans se faire remarquer. C'était une occasion inespérée. Il entrerait par le jardin : les veilleurs malais dormaient sur le devant de la maison, il pourrait donc atteindre l'auvent sans être vu. Un taxi attendrait au coin du canal. Une fois à l'hôtel, la fugitive serait en sécurité. Le lendemain, visite au consul pour obtenir un passeport, et prompt embarquement à bord du premier navire en partance pour Hong-Kong. Le plan était bien conçu. Comment donc Ah-Tchou, le redoutable beau-père, eut-il vent de la visite d'Archie et de l'enlèvement qui se tramait ? C'est l'un des mystères de ces maisons orientales, où des espions invisibles sont toujours à l'affût, où ni un mot, ni un geste n'échappent à leur vigilance. On s'espionne entre père et fils, entre factions politiques rivales, entre marchands concurrents. Quelle chance pouvait avoir un étranger, même un Américain grand et fort, décidé à redresser un tort et à sauver une femme, de s'immiscer dans les affaires les plus privées d'un Chinois et d'échapper aux oreilles et aux yeux indiscrets ?

— Quand je revins vers minuit, continua Archie,

le jardin était aussi calme qu'un tombeau. Les plumets noirs des cocotiers se détachaient sur la lune pâle des tropiques, voilée d'un halo de vapeurs. Il n'y avait pas eu de pluie, si bien que les grenouilles et les crapauds n'étaient pas là pour couvrir mes pas de leurs coassements. Il n'y avait pas un bruit, hormis le crissement des cigales et les craquements sourds du bois rongé par les scarabées. On entendait au loin la rumeur de la ville. Dans cette partie du monde, la nuit est le moment où la vie est en plein éveil ; le jour et le soleil apportent le sommeil et la mort.

Je passai sous des banians et gravis à pas de loup un petit escalier qui menait à l'auvent situé à l'arrière de la maison. Je trouvai toutes les portes fermées à clef. Ce n'était pas là ce que nous avions projeté. Retenant mon souffle, je redescendis, toujours à pas feutrés, et, de retour dans le jardin, je sifflai doucement le signal convenu. Une branche sèche craqua derrière moi. Je ne bougeai point. A travers les ténèbres qui régnaient sous les arbres, je vis se faufiler une silhouette ramassée sur elle-même, puis une autre. Des chats, me dis-je, car j'avais entrevu l'éclat d'yeux phosphorescents.

Soudain une porte de fer grinça et s'ouvrit à la volée. Telle une eau jaillissante, des formes noires et souples qui se dépêchaient, tombaient, couraient, se déversèrent comme une cataracte et passèrent devant moi. Je compris ce qui venait d'arriver. Un épouvantable vacarme éclata ; la nuit retentissait de cris et de hurlements. C'était un tumulte apeuré, comme si toute la jungle venait soudain de s'échapper dans le noir, fuyant une terreur inconnue. Je savais désormais que j'avais été trahi. Ah-Tchou, informé de mon passage, avait donné l'ordre d'ouvrir les cages pour me faire dévorer vivant par ses fauves. Je cherchai un abri, tentai de grimper dans un arbre. En vain. Les bêtes, grisées par cette liberté soudaine et inattendue, n'avaient pas encore décelé ma présence. Mais brusquement, je les devinai tout autour de moi, je sentis leur haleine sur mes mains, je vis leurs yeux luire dans l'obscurité. Daniel dans la fosse aux lions ! Je restai un instant immobile, incapable de distinguer quoi que ce fût, mais sachant pertinemment que les animaux, eux, non seulement me voyaient, mais me sentaient. Je sortis ma lampe électrique de ma poche et, au spectacle que me révéla son faisceau, je sentis mes genoux se dérober sous moi, J'étais cerné par des tigres qui s'aplatirent sous le brusque éclair de lumière, mâchoires béantes... Ma seule chance de leur échapper était de gagner le portail du jardin, droit devant moi, mais il aurait fallu un miracle pour que j'y parvinsse. J'avais sur moi mon revolver et je tirai en l'air — une fois, deux fois, trois fois — de façon à ne pas blesser et rendre enragées ces bêtes qui grondaient en me montrant les crocs. Je me hasardai à faire quelques pas. De la maison me parvenaient les cris d'une femme appelant à l'aide. Soudain, la lumière jaillit. On avait allumé l'électricité sous l'auvent, faisant refluer tout au fond du jardin la douce nuit tropicale... Ce fut alors qu'eut lieu le miracle que j'avais appelé de mes prières. Comme des possédés, les tigres foncèrent à travers la pelouse jusqu'à un endroit où des chaises étaient disposées en demi-cercle autour d'un énorme ballon. Je tirai un autre coup de feu. Huit tigres, huit animaux princiers à la fourrure magnifique, bondirent sur les chaises et les baquets renversés, tandis que le plus gros de tous sautait sur le ballon, trouvait aussitôt son équilibre et s'y maintenait, pressant l'une contre l'autre ses pattes antérieures. C'était l'image la plus merveilleuse et la plus stupéfiante que l'on pût imaginer : ces enfants de la jungle, immobiles, ensorcelés, montrant leurs crocs étincelants. Derrière eux, deux éléphants s'agenouillèrent lentement. La férocité naturelle de ces bêtes était domptée, leurs instincts voraces momentanément bâillonnés : cela me sauvait la vie. Je vous garantis que je ne m'arrêtai pas pour chercher l'explication du phénomène ! Je ne pris même pas le temps de m'étonner. Je filai à toutes jambes vers le portail que je claquai derrière moi. Une fois sain et sauf, je me rappelai le projet d'évasion. Le lendemain, grâce au consul britannique, qui était de mes amis, je pus tirer Flora de sa prison, car elle n'eut aucun mal à faire la preuve des mauvais traitements et des sévices qu'elle avait subis. Plus tard, elle me révéla le fin mot de mon incroyable aventure. Comme je le pensais, Ah-Tchou avait été informé de ma visite par un de ses serviteurs. Lorsqu'il fut mis au courant, cependant, il était allongé dans une chambre d'hôtel, ivre de vin, abruti par l'opium, et se souciait fort peu de l'honneur de sa maison ou de quoi que ce fût. Aussi avait-il dit simplement :

— Quand ce chien de Blanc reviendra cette nuit, ouvre les cages.

Le serviteur en question était le valet de chambre d'Ah-Tchou et ne connaissait rien aux animaux. Il avait cru qu'il suffirait d'ouvrir rapidement une seule des grandes cages, près de l'entrée de la propriété, avant de courir se mettre à l'abri. Or, il se trouvait que la cage en question contenait des tigres qui provenaient d'un cirque en faillite et n'étaient sur le marché que depuis la veille. C'est à cette circonstance que je dois la vie. J'eus affaire aux tigres anciennement employés par le cirque Canapoil, dressés pour obéir à des coups de revolver. Eussé-je tenté de me mêler de la vie privée d'Ah-Tchou n'importe quel autre jour, je crains, monsieur, qu'Archie Spencer n'aurait pas eu le plaisir de traverser le Pacifique en votre compagnie. Que diriez-vous d'un autre cocktail *hula-hula* avant de descendre dîner ?

II
Le dieu vivant

Une île mystérieuse et l'étrange double vie
de don Juan Olozagà

Depuis plusieurs jours, notre petit steamer était balloté par la houle de l'océan Indien. Des ennuis de moteur nous obligèrent à jeter l'ancre au large de récifs de corail qui faisaient partie du groupe connu sous le nom d'îles de la Barrière. Dans leur cas, on pouvait toutefois difficilement parler de terre ferme : il s'agissait plutôt d'un marécage que l'on distinguait à peine de la mer. A contempler ce lieu torride et bourbeux, où cocotiers et bananiers se dressaient dans la vase, leurs racines émergeant par endroits comme des reptiles tordus et immobiles, on aurait pu croire que le déluge venait tout juste de prendre fin. La température et l'humidité étaient celles d'une serre et tout laissait penser que les animaux préhistoriques, même les plus difficiles à satisfaire, eussent trouvé l'endroit à leur goût s'ils étaient revenus sur terre.

Après avoir attendu trois jours le remorqueur qu'un cargo japonais longeant la côte de Sumatra nous avait promis par radio, je pris l'un des petits canots du bord pour me rendre sur l'île. La terre et l'eau y poursuivaient leur curieux mariage. La forêt, où les troncs d'arbre étaient incrustés de coquillages et de coraux, semblait un curieux exemple de flore aquatique remontée du fond de l'océan. Du gibier d'eau, qui évite d'ordinaire l'intérieur des terres, paraissait aussi à l'aise ici que s'il s'était trouvé en terrain amphibie. Il n'y avait point de plage, de sable, ni de galets, comme si la forêt avait poussé directement dans la mer.

M'étant mis en quête d'un endroit propice à mon débarquement, je suivis, à pied, un semblant de littoral tortueux, pataugeant dans une eau couverte de mousse flottante et de nénuphars largement étalés qui servaient de perchoir à de gros oiseaux. Les seuls habitants permanents de ce territoire incertain semblaient être les fourmis. Ici, pas de terre ferme mais une succession de fondrières cachées sous un traître tapis de plantes aquatiques. Pourtant, la veille au soir, j'avais observé de ma cabine une lueur rougeâtre, semblable à celle d'un feu, qui m'avait semblé indiquer la présence d'un homme. Au bout d'une heure de marche sur un sol sans fond et glissant, et n'ayant pu pénétrer à l'intérieur de l'île en quelque point que ce fût, je me trouvai soudain devant un pavillon monté sur des pilotis analogues à ceux qu'on utilise pour la construction d'un pont. Le toit était en palmes séchées ; l'entrée était décorée de coquillages, de plumes rouges et de divers trophées de chasse, parmi lesquels plusieurs têtes de cerf.

Tout en progressant laborieusement, j'avais été si accaparé par chaque pas que je devais faire, craignant de me retrouver enlisé dans cette boue mouvante, que j'avais à peine regardé autour de moi, comme il arrive toujours lorsqu'on doit traverser une forêt. Or, levant les yeux, je vis un vieillard nu — un Blanc — qui semblait observer mon approche depuis un certain temps. Il était assis très haut, sur une plate-forme faite de lattes alternées de bois dur et de bambous flexibles qui surplombait sa case et à laquelle on accédait, me sembla-t-il, au moyen d'une trappe pratiquée dans le toit. Il se tenait voûté, comme s'il souffrait de rhumatismes, et je notai que c'était la raideur de sa posture qui lui donnait l'apparence d'un homme très âgé, plutôt que son visage relativement

43

jeune, quoique sillonné de rides et boucané par les éléments. Il était bel et bien nu, sauf quelques colliers de coquillages et une sorte de pectoral en nacre. Ses jambes et ses pieds osseux avaient été déformés, à la longue, par les efforts nécessaires pour marcher en équilibre sur ces racines et ces troncs glissants. Je le pris pour un Arabe, quelque saint voyageur acharné à recruter des pèlerins pour La Mecque — la population de ces îles étant musulmane — car il avait le profil beau et cruel, finement dessiné, des hommes du Proche-Orient.

— Hollandais ? me lança-t-il depuis son perchoir, négligeant le salut indigène qui signifie : Je me prosterne sous la plante de vos pieds.

— Non, répondis-je. Naufragé... momentanément. C'est ma nationalité.

— N'ayez aucune crainte pour votre sécurité, mon ami. Les Européens — « les yeux blancs » — ne sont pas tabous sur cette île.

Le vieillard parlait tantôt français, tantôt espagnol.

— Et vous ? demandai-je. D'où venez-vous ?

— Moi ? Je suis basque.

— Alors que faites-vous ici ? Êtes-vous en vacances ou en exil ?

— Ni l'un, ni l'autre. Je vis ici avec les indigènes. Mes fonctions sont extrêmement honorables. Je suis juge, chef, membre du Sénat suprême et surtout...

— Vous n'êtes pas lépreux, au moins ! interrompis-je, en le voyant ainsi isolé de tout contact humain.

— Non. Ne vous inquiétez pas. Je suis un dieu. Mon nom divin est *Le Nombril du Monde*. Je règne aussi sur les éléments. Il se trouve que je suis seul parce que mes sujets sont partis pêcher.

— Mais votre véritable nom ? Celui que vous portiez en Europe ?

Le vieil homme n'avait point quitté la posture caractéristique des indigènes, les genoux sous le menton ; une cigarette pendait de sa lèvre ; ses yeux brillaient sous son chapeau de paille à larges bords, maintenu par une jugulaire.

— Ma foi, il n'y a plus de raison d'en faire mystère. Asseyez-vous donc et écoutez mon histoire. Je m'appelle don Juan Olozagà. J'ai vu le jour en terre espagnole, non loin de Pampelune. Voici vingt ans que j'ai débarqué sur cette île — comme vous, après une forte tempête —, au mois de février moi aussi. A cette époque de l'année, les vents dominants tournent brusquement, ce qui provoque en mer un courant orienté vers l'est et difficile à négocier pour un vaisseau déjà malmené par les éléments. En sorte que lorsque cette île se trouve ici...

— Comment cela : lorsque cette île se trouve ici ?

— Je vous en prie, écoutez-moi sans m'interrompre. Si je vous disais que j'ai échoué ici à la suite d'un naufrage, ce ne serait pas tout à fait exact. J'étais en train de nager vers la côte lorsque je fus pris dans un filet de pêche. Les indigènes me traînèrent sur le rivage, et, m'apercevant, se mirent à crier : *« Yinko ! »* Or, ce mot de yinko signifie « dieu » en basque. Était-il possible qu'il eût le même sens, ici, à quelque trente-cinq journées de navigation de mon pays ? Je me risquai à leur demander : « *Eman dezada yavera ?* », c'est-à-dire : « Pourriez-vous me donner à manger ? » Ils comprirent ! Quelques femmes parurent, suivies d'un homme arborant divers ornements faits d'un assemblage de petits miroirs, comme ceux qu'on utilise pour attirer les oiseaux ; c'était le grand prêtre. Dans une langue que je comprenais sans savoir pourquoi, il me dit que j'étais « le dieu que l'on doit repêcher du fond de la mer » et dont les légendes locales leur promettaient la venue depuis vingt siècles.

Plus tard, je songeai aux étranges origines de ma langue maternelle, le basque, qui n'a rien de commun avec les idiomes de souche indo-germanique et que l'on n'entend qu'à l'intérieur du Japon où vit une ancienne peuplade isolée depuis des temps immémoriaux. Je méditai sur l'existence de ce dialecte qui est assurément l'un des plus anciens au monde et me demandai si j'avais des ancêtres communs avec cette tribu d'Océanie, descendue, semblait-il, d'une race blanche. En tout cas, on me demanda de siéger au *karapatan,* l'assemblée des chefs, et, alors que je m'attendais tout à fait à être mené au bûcher, on m'expliqua que j'étais *Le Nombril du Monde.* J'appris aussi — pour répondre à votre question précédente — que, tous les sept ans, cette île s'engloutit dans la mer pendant huit mois. Elle reparaît ensuite, couverte d'une visqueuse végétation marine. Durant son immersion, les indigènes vivent sur des radeaux ; ils parviennent à subsister grâce au produit de leur pêche et se maintiennent ainsi en vie avec leurs chats et leurs lézards sacrés.

Comme prévu, le déluge qu'on m'avait annoncé survint l'année suivante. Je dis à mon peuple — les indigènes — que je passerais les huit mois de l'inondation à voyager. Aussi, quand eut lieu l'extraordinaire événement — réglé sans nul doute sur quelque phénomène volcanique —, je mis le cap sur les Indes néerlandaises, emmenant avec moi une toute jeune prêtresse appelée Nescatcha et un lot de très belles perles. Je regagnai l'Europe, content d'être ainsi parvenu à me tirer à mon avantage d'une aventure si douteuse.

Je revis le Pays basque. Ma mère commençait à se faire vieille et voulait me voir marié. Les noces eurent lieu et Nescatcha, qui avait mené une existence polygame avec les prêtres de sa tribu, y assista. Mon épouse, cependant, qui ne partageait pas sa largeur d'esprit, montra vite son ressentiment en réduisant sa noble rivale au rang de servante. Le traintrain du mariage me devint rapidement odieux et au bout d'une semaine de vie conjugale je quittai femme et foyer, vendis les perles que j'avais rapportées et m'installai à Biarritz où je vécus sur un pied royal. J'occupais la plus belle suite de l'Hôtel du Palais, j'étais propriétaire des premières automobiles de l'époque, je possédais un yacht et ne dessaoulais pas. Je jouais au baccarat comme un imbécile. Bref, en l'espace de deux mois, je me retrouvai sans un sou vaillant. Le matin où, pour la dernière fois, je revins du casino après avoir tout perdu, je trouvai Nescatcha en larmes ; mais ce n'était pas l'argent envolé qu'elle pleurait ainsi. Aimant la vie simple, elle souffrait tout bonnement des excès de cette existence de luxe et de raffinement. Moi aussi, d'ailleurs, j'avais peu à peu succombé à la nostalgie des tropiques, si bien que nous reprîmes le chemin de notre île.

En la revoyant, je faillis m'évanouir d'émotion. Tel un panier de corail plein de fruits et de fleurs posé sur un plateau d'argent, elle m'attendait ; comme Aphrodite sortie des ondes, elle venait de reparaître, rafraîchie et embellie par son bain. Alors que je me trouvais encore à plusieurs milles en mer, de fortes senteurs de camphre et de térébenthine vinrent frapper mes narines, poussées au-dessus des flots par la brise qui soufflait de la terre. Des festins furent organisés pour célébrer mon retour, ponctués de sacrifices humains ; mon mariage avec Nescatcha, ainsi promue au rang de déesse, marqua l'apogée des réjouissances. Cette vie s'établit alors pour sept ans.

Bien sûr, personne en Europe n'avait de mes nouvelles, personne ne savait où me joindre. Mais je m'inquiétais de la santé de ma mère ; j'avais le pressentiment qu'une calamité était sur le point de s'abattre. Je saisis donc l'occasion de m'absenter que m'offrait la nature et — seul cette fois — je regagnai l'Europe, après avoir coulé sur cette île les jours les plus heureux de mon existence. Lorsque j'arrivai chez moi, la nouvelle de la mort de ma mère m'attendait ; ma femme, lasse de mon absence prolongée et me croyant perdu en mer, s'était remariée. J'avais rapporté encore plus de perles qu'à mon premier voyage, mais, une fois transformées en argent liquide, elles ne durèrent guère plus longtemps ; le coût de la vie avait augmenté et j'étais devenu, quant à moi, nettement plus exigeant sur le choix de mes plaisirs. Je devins un dirigeant politique influent dans ma région. Madrid elle-même, la capitale, me souriait et l'on m'invitait à accepter un siège au Sénat ; par vanité, j'y consentis.

Mon palais se dressait sur la Castellana ; j'y tenais table ouverte et possédais une écurie de course. Je jouais au polo avec le roi et nourrissais tout un régiment de parasites, de domestiques inutiles et de maîtresses qui me trompaient. Comme auparavant, au bout de quelques mois, le manque de fonds m'incita à disparaître et je retournai sur mon île. Pendant vingt ans, j'allais mener cette double vie. Dans l'hémisphère occidental, j'étais l'infâme parvenu, l'exécrable nouveau riche avec des diamants à tous les doigts, un feutre sur la tête et des cravates voyantes ; un homme dissipé et vulgaire qui côtoyait les *toreros* sans travail, les généraux marrons, les joueurs professionnels et les proxénètes. Je passais mes nuits dans la Ciudad Leneal et je soupais dans les cabarets de La Pernices.

Lorsqu'on me dit que l'on songeait à moi pour un poste d'ambassadeur auprès d'un pays d'Amérique latine, je n'élevai aucune objection. Je soudoyai des ministres et me fis élever un palais au bord de la mer, à Santander. La vie que je menais exerçait sur mon caractère une influence pernicieuse : je devins avaricieux, cruel, vaniteux et avide. Mais, comme si le ciel eût voulu me donner la preuve qu'il ne m'avait pas totalement abandonné, il me poussait toujours à regagner les îles de la Barrière. Je partais sans laisser à quiconque le moindre indice concernant ma destination et je restais absent sans donner de nouvelles. Commençait alors une autre vie, la vraie, dans l'autre hémisphère. L'homme qui, quelques mois auparavant, avait ébloui les petites paysannes et les filles de rue de la Feria, à Séville, devenait ici un être austère, un ascète dont les seules possessions étaient un matelas de paille, un mortier de pierre pour broyer les herbes et une planche à clous pour râper les noix de coco. L'homme qui, en Espagne, avait fait construire dans sa demeure la reproduction des bains de l'Alhambra pour la bagatelle de cinq millions de pesetas, reprenait, en Mélanésie, l'existence la plus primitive qui fût, une existence sans savon où, au lieu de se laver, on se râcle la peau avec un bambou fendu. Je distribuais des aumônes, dispensais la justice et faisais des miracles. (Dont le moins remarquable n'était pas la complète transformation que je subissais moi-même.) J'ai entendu parler de gens atteints de troubles psychiques qui mènent une double vie sans le savoir : criminels la nuit et citoyens exemplaires dans la journée. Je faisais moi aussi l'expérience de ce phénomène, à cette différence près que j'étais parfaitement conscient dans l'un et l'autre rôle, et que cela ne dura pas quelques jours, mais, comme je vous l'ai dit, vingt années. En Europe, j'étais un viveur, un ivrogne, un « joyeux drille », qui n'était au fond qu'un gaspilleur et un débauché fort méprisé ; ici, j'étais frugal, dépourvu de désirs, nu, mais j'étais un dieu !

Lorsque la dernière période de sept ans fut révolue — c'était il y a trois ans — et que l'île commença à s'engloutir dans l'océan comme un navire qui sombre, au lieu de retourner en Europe, je m'installai dans une embarcation avec les indigènes. Nescatcha, l'épouse de mon cœur, était morte jeune, sort commun à la plupart des femmes sous les tropiques, et je sentais à mon tour le poids des ans. Bien que ma fortune, amassée grâce à la chasse et à la pêche de mes sujets indigènes, fût devenue considérable, j'avais épuisé mon goût pour les plaisirs mesquins et débilitants qu'offrait la civilisation. Je restai parmi ceux qui croyaient en moi, qui avaient besoin de moi. J'en étais venu à les aimer comme mes propres enfants. Ces indigènes, en raison de leur langue, qui n'a aucun rapport avec les autres dialectes indonésiens, et de leur réclusion insulaire, disons même, plutôt, de leur surréclusion, liée à la disparition périodique de leur pays et à leur vie dans des foyers flottants, n'ont jamais été en contact avec les autres îles, ce qui leur a permis d'échapper à l'islam, aux vices malais et aux malédictions de l'alcool et du commerce. La simplicité de leurs coutumes est telle qu'ils ignorent encore l'usage du fer et vont sans le plus petit vestige d'habillement. Ils vivent à l'intérieur de l'île, dans des huttes en forme de ruches géantes, semblables à la mienne, surmontées d'oiseaux de bois aux ailes déployées. Rien chez eux qui rappelle les habitants de la péninsule malaise. Leurs squelettes sont finement bâtis, même si l'adaptation à ces forêts, où ils sont souvent obligés d'avancer en rampant, leur a donné l'attitude penchée que vous avez dû remarquer chez moi. Leurs yeux sont limpides, lumineux et peuvent être aussi timidement implorants que ceux d'un cerf acculé par la meute. Dès qu'ils aperçoivent une voile ou un panache de fumée à l'horizon, ils se réfugient vers l'intérieur. D'ordinaire, je les accompagne, et, si je ne l'ai pas fait aujourd'hui, c'est parce que je désirais parler à un Blanc. Quand approche le temps où l'île doit s'enfoncer dans les flots, un grand festin a lieu. Ensuite, certains indigènes montent à bord de leurs canoës insubmersibles, tandis que les autres prennent place sur leurs radeaux flottants dont la forme rappelle vaguement celle des anciens galions portugais. Moi, j'occupe un temple posé sur l'un de ces radeaux et je réunis autour de moi les buffles blancs et les lézards sacrés. Je suis accompagné par les sorciers et les guérisseurs vêtus de paille, comme vous avez pu en voir ailleurs, qui, durant leur séjour sur l'eau, poursuivent leurs incantations et la pratique de leur magie prophétique.

— Alors, je suis le premier Blanc que vous voyez depuis votre dernier voyage en Europe ? demandai-je.

— Non. Un jour, il y a trois ans, alors que je me livrais à des rites sacrificiels, j'ai remarqué de la fumée à l'horizon. Un steamer est venu jeter l'ancre, non loin de l'endroit où se trouve le vôtre en ce moment ; c'était un petit caboteur hollandais. Les indigènes se sont enfuis vers l'intérieur, tandis que je me cachais dans un cocotier. Un canot s'est dirigé vers l'île, et, à ma grande stupeur, j'ai reconnu dans les deux hommes qui avaient pris pied sur le rivage deux de mes cousins ! Depuis ma cachette, j'ai pu aisément entendre ces deux membres de ma famille se concerter. L'un des deux a déplié une carte :

— Trois degrés au sud par six degrés — à une

journée de navigation de Kroemg Atjeh. C'est bien l'endroit où il devrait être. L'atlas de Johnson, imprimé à Londres en 1848, mentionne l'île de Summendi. Est-ce bien elle ? *L'Encyclopædia Britannica* en fait aussi état et se réfère même aux affirmations de Marco Polo qui, après avoir été contestées, sont désormais, comme tu le sais, tout à fait reconnues.

— Oui, mais dans l'*Atlas hollandais* de Jacob, qui date de 1875 et comporte toutes les îles de cette région, celle sur laquelle nous nous trouvons ne figure pas. Et les cartes de l'Amirauté sont singulièrement incomplètes en ce qui concerne les îles de la Barrière.

— Certes, mais as-tu oublié le carnet qu'Olozagà a laissé chez lui et que l'on a retrouvé parmi les effets de sa défunte mère ? Les indications que l'on peut en tirer montrent bien que c'est de cette île qu'il s'agit. Tout cela paraît absolument incompréhensible.

— Voyons, nous n'allons quand même pas supposer que cette île n'existe qu'à certains moments et disparaît le reste du temps.

— Cela semble pourtant la seule conclusion possible.

— Si tu veux mon avis, Eustachio, nous perdons ici notre temps et notre argent. Si don Juan Olozagà n'est pas revenu, c'est parce qu'il est mort. Et même si nous le retrouvions, cette espèce d'insaisissable serpent de mer, rien ne permet de penser qu'il nous comblerait de présents !

— Depuis des années, le bruit court qu'il est tantôt en Inde, tantôt au Thibet tantôt en Patagonie !

— Ma femme, sa veuve, lui a fait édifier un caveau, mais il est toujours vide... Gageons que c'est moi qui y prendrai bientôt sa place.

— Don Juan était un rusé gredin.

— C'est vrai. Je ne saurais en dire autant de nous. Il ne nous reste plus qu'à regagner Batavia et à convaincre les autorités hollandaises d'organiser des recherches. Peut-être auront-elles davantage de chance.

Mes cousins restèrent un long moment assis, là, sous l'ombre bleue du cocotier, leur insaisissable parent perché à huit mètres au-dessus de leurs têtes. Ils ne parlaient plus, muselés par le grand silence qui régnait sur l'île et que seul rompait le grondement explosif du ressac déferlant inlassablement contre les récifs de corail, bruit hostile à l'oreille d'un intrus. Ils finirent par repartir, laissant derrière eux cet endroit maudit, et, à ce qu'il semble, ne firent plus d'autre tentative pour découvrir leur riche cousin. En tout cas, je n'ai plus jamais entendu parler d'eux.

En descendant de mon arbre, je me sentais léger et

heureux. A présent, tous les liens qui me rattachaient encore à l'Europe, à la civilisation, à ma famille étaient définitivement brisés. Je ne nierai point, cependant, qu'il me fallut faire un rude effort de volonté, car les liens du sang sont puissants chez les Basques. Mais c'était à un élan encore plus fort que j'obéissais. Je cédais à un sentiment indiciblement agréable de complet détachement, à la douce, à l'apaisante indifférence des tropiques, à ce rêve éveillé qui vous permet d'attendre votre heure dernière dans une totale résignation. J'ai atteint cet ultime et paisible stade et c'est pourquoi je vous ai confié mon secret. Je suis aujourd'hui un homme condamné. Lorsque j'appuie les doigts sur mon foie, je le sens dur comme une pierre. A supposer que je souhaite gagner Aden, je n'en aurais plus le temps ; j'ai eu trois abcès — c'est le quatrième qui est fatal. Avec l'infaillible instinct des animaux et des hommes primitifs, les guérisseurs, il y a deux jours, ont annoncé ma fin prochaine. Écoutez ! On n'entend que les grenouilles qui donnent leur concert vespéral. Le silence de la grande solitude se referme déjà sur moi ; je fais dès à présent partie d'une autre vie... Les indigènes sont en route vers le nord ; ils ne reviendront pas avant que le dernier quartier de la lune n'ait fini de décroître. Alors, ils emmailloteront ma dépouille bien serrée et placeront près d'elle tout ce qui est nécessaire au dernier voyage ; ils la laisseront dans une hutte ouverte, pour que le soleil et les vents du sud la dessèchent... ce qui vaut aussi bien, me semble-t-il, que de pourrir dans la terre rouge du Guipuzcoa. Non merci, je n'ai plus besoin de rien. Dans moins d'une semaine, j'aurai quitté ce monde. Je ne sais si je vais me réincarner, comme on me l'a dit, et vivre une autre vie sous la forme d'un animal blanc ; bien que je sois un dieu, je n'ai là-dessus aucune information précise. Au revoir. Vous êtes libre de raconter mon histoire à votre retour en Europe. Mais attardez-vous sur ma réputation occidentale, la moins recommandable ; dites, si vous le désirez, que vous avez rencontré don Juan Olozagà, le parvenu, le libertin, l'homme sans cœur. Ne dites pas que vous avez aussi rencontré l'autre, l'homme le plus singulièrement avancé du monde : le dieu.

III
Histoire de revenants

Un missionnaire franciscain est témoin
d'une étrange série de phénomènes
surnaturels

J'effectuais la traversée de Shanghaï à Hong-Kong
en compagnie du père V., missionnaire franciscain.
C'était un véritable colosse, si énorme qu'on eût dit
l'une de ces silhouettes grotesques, qui, dans les
tableaux des primitifs flamands, soufflent dans des
trompettes lorsque les cieux s'entrouvrent au jour du
jugement dernier. Il vivait en Chine depuis fort longtemps — trente ans peut-être —, tantôt dans le Setchouan, tantôt dans le Yunnan. L'ordre supérieur
venait tout juste de l'appeler à Jérusalem et il partait
pour l'autre bout du monde avec autant de complaisance que s'il se fût agi d'aller de Paris à Versailles.

Quelques heures à peine après avoir été prévenu, il avait quitté, sans regrets apparents, son école, son infirmerie et ses amis de Chine, montrant toute l'indifférence d'un homme formé à la carrière diplomatique et habitué dès son jeune âge à partir au pied levé pour les lieux les plus éloignés. Diplomate, le père V. l'était d'ailleurs, et fort bon, mais diplomate au service de Dieu. Les trente années de sa vie passées en Chine n'avaient pas encombré son esprit de romantisme exotique ou de notions poétiques. Hâlé par le soleil, il ne quittait jamais son vieux parapluie défraîchi en coton bleu ; son visage raviné avait pris le ton jaune d'une statuette funéraire des Tang ; il tenait à la fois du vieux paysan normand et de l'aïeul chinois. Bien qu'il crût en Dieu, d'une foi apostolique, il n'en était pas moins capable d'admettre l'existence des phénomènes surnaturels qui n'avaient, certes, aucun rapport avec sa religion et ses conceptions occidentales. Les deux civilisations s'étaient amalgamées en lui, de sorte que son esprit pouvait passer de l'une à l'autre sans même paraître s'en apercevoir. Néanmoins, je fus très étonné par les propos qu'il me tint un soir. Nous nous étions assis tout près de l'eau, pour regarder le soleil sanglant des tropiques se dissoudre dans une mer de soie sauvage que déchirait le sillage des poissons volants. Je me rappelle vaguement m'être quelque peu ridiculisé ce soir-là en m'efforçant d'expliquer la Chine au saint homme qui y vivait depuis trente ans. J'y séjournais, moi, depuis trente jours.

— La Chine est un pays sceptique, rationnel et incrédule, déclarai-je. C'est une pierre dure qu'aucune espèce de foi ne saurait attendrir. Si nos Européens stériles, au cœur desséché, se tournent vers l'Asie pour une révolution, qu'ils lorgnent du côté de l'Inde mystérieuse mais surtout pas vers la Chine. Il n'y a rien en Chine qui puisse alimenter la croyance en des pouvoirs surnaturels ou en un au-delà.

— Comment le savez-vous ? interrompit le père V.

— Ma foi, tout le monde semble d'accord là-dessus. Je l'ai lu quelque part. J'ai lu presque tout ce qui a été écrit sur la Chine, ajoutai-je avec toute la témérité de ma jeunesse.

— Il vous faudrait avoir vécu ici comme je l'ai fait, dit le père V., trente-cinq années en palanquin — un moyen de transport bien différent de ceux auxquels les Européens sont habitués — et peut-être alors pourriez-vous me parler de la Chine. Je suis né aux confins de la Normandie et de la Bretagne ; je suis donc un Celte qui n'attache aucune foi aux histoires de fantômes. Je puis vous le dire, cependant : ce que j'ai vu dans le Setchouan passe tout à fait ma compréhension.

— Pourtant, nous vivons une époque de grande froideur envers la magie..., protestai-je.

— En Orient, les rêves règnent sans partage, poursuivit le prêtre. « L'Asie est le subconscient du monde », a dit quelqu'un qui n'était point un sot. Et la Chine, où nul trépas n'est jamais voué à l'oubli, nul ossement livré à l'abandon, est un vrai paradis pour les fantômes. J'adore les spectres chinois ; ils sont, dans l'ensemble, inoffensifs et plus comiques que terrifiants. Ils sont à la merci des sorciers — de ces clinquants magiciens chinois, avec leur arsenal si compliqué de dépouilles appartenant à l'au-delà, leurs chaussures à clous pour fouler aux pieds les corps nus, leurs chapeaux ornés des images des sept étoiles fixes, et leurs robes brodées de dessins prophétiques. Pauvres fantômes ! Sans cesse pris au piège d'une monnaie de papier dépréciée que l'on distribue aux enterrements et qui n'a cours que dans les régions infernales. On les saoule et on leur joue mille tours pendables.

Le résultat d'un de ces tours, c'est l'histoire du vampire incapable de regagner son cercueil parce que le sorcier en avait volé le couvercle ; il y a aussi la famille dont les descendants mâles étaient persécutés par des démons et qui, de ce fait, habillait tous ses garçons en filles et les mariait à des filles travesties en garçons, afin de berner les esprits malins. Je ne plaisante pas tout à fait, ajouta le père V., j'ai assisté à des événements mystérieux, totalement inexplicables. J'en ai même été la victime. Les Chinois tiennent leurs *séances* * surnaturelles de façon objective, continua-t-il, après un instant de réflexion et en baissant le ton, comme s'il prévoyait quelque future difficulté avec Rome. Oui, objective ; on dirait qu'ils les imaginent désormais comme devant servir de preuve. Quant à moi, et je crois être en accord sur ce point avec la science moderne, je n'y vois rien que des phénomènes subjectifs, des rêves et des symboles psychiques que l'on peut toujours interpréter. Telles qu'elles sont, cependant, ces manifestations représentent une contribution très extraordinaire à l'histoire de la Chine. Voyez-vous, en règle générale, il n'y a pas de mirages sinon dans les régions exceptionnellement ombreuses et humides. C'est en Chine que l'on trouve les plus beaux mirages — dans l'atmosphère raréfiée des hauts plateaux et dans l'extrême sécheresse du désert où une espèce de fluide statique, tout spécialement conçu pour faciliter les communications

* En français dans le texte. (N.d.T.)

avec l'au-delà, paraît agir entre le ciel et la terre.

Il y a plusieurs mois, poursuivit le père V., je voyageais seul, à cheval, pour aller voir l'un de nos pères malade qui se trouvait à Shantung. Je devais le suppléer temporairement et donner à sa place des cours d'astronomie. Je venais tout juste de passer Su-Tsheu-Fu lorsque mon cheval s'effondra sous moi. Je dus l'abandonner aux bons soins de mon *ma-fu*, ou muletier. Je continuai à pied, et, au bout de quatre heures, la nuit tomba. Je me trouvais dans une région de terre rouge parsemée de monticules arrondis qui ressemblaient à des taupinières ; une contrée nue dans les endroits les moins pierreux, nivelée ailleurs par les inondations et nettoyée par le vent du nord comme par un balai impitoyable qui n'aurait rien laissé dépasser à la surface du sol, en dehors des rocs. J'avais le visage déchiré par l'air glacé. Je voyais devant moi s'assombrir l'horizon mais je n'apercevais nulle part la ville de Foli dont, à en croire ma carte, j'aurais dû approcher. Tout à coup, à quelques mètres de la route, ou plutôt du sentier qui en tenait lieu, je fus étonné d'apercevoir la lanterne d'une auberge. J'entrai et demandai à boire et à manger ainsi qu'un endroit pour passer la nuit. L'aubergiste me parut désobligeant, mais un vieillard, comprenant quelle fâcheuse situation était la mienne, me prit en pitié et

dit : « Nous venons de faire de la soupe pour des soldats qui arrivent de loin. Il ne nous reste plus de vin à
vous offrir mais, sur votre droite, vous verrez une
case isolée où vous pourrez au moins vous reposer. »

J'allai inspecter mon logis. Des mille-pattes et
d'autres insectes du même acabit couraient sur le sol
de terre battue. Je me rendis compte, alors, que j'étais
dans la cour de l'hôtellerie. Quelqu'un avait baissé un
rideau de bambous tressés. Le soleil s'était couché, et,
par les claires-voies du treillis, on apercevait les étoiles. Les oiseaux se taisaient, on n'entendait plus que
les cigales.

Lorsque la nuit fut tombée, de nombreuses lanternes illuminèrent les lieux. Je dus me mettre au lit
l'estomac vide. Les moustiques, dans leurs attaques
contre la fosse d'aisance que constitue la cour de toutes les auberges chinoises, m'empêchaient de dormir
et je m'armai d'un grand éventail en papier rouge.
Bientôt, dans cette cour dont ne me séparaient que les
minces parois en bambou de ma case, j'entendis un
grand bruit d'hommes et de chevaux — de furieux
tintements d'acier, d'éperons : des chevaux que l'on
dessellait et qui hennissaient. Piqué par la curiosité, je
me levai pour regarder sans me faire voir ; la cour de
l'auberge et ses alentours étaient remplis de soldats

assis par terre qui buvaient, mangeaient et échan-
geaient les habituels bavardages militaires. Dans la
pénombre éclairée par la lumière du feu de bivouac,
j'eus l'impression d'avoir un aperçu des régions
bouddhistes infernales.

En Chine, on finit par s'habituer aux incursions
soudaines des militaires. Elles sont fréquentes, surtout ces dernières années. Différentes armées contrô-
lent le pays, pillant, poursuivant ou étant elles-mêmes
poursuivies, et la population civile n'en est pas le
moins du monde affectée. Les paysans n'interrom-
pent point leur besogne, ni les marchands leur commerce. Je crus donc qu'il s'agissait tout simplement
d'un corps des armées de Chang-Tso-Lin ou de Feng.
A vrai dire, j'étais même si habitué à vivre parmi ces
Chinois escrocs, voleurs et bandits de grand chemin
que je me sentais tout à fait dans mon élément et
n'étais nullement déconcerté. Depuis longtemps,
j'avais cessé de prêter attention aux coups de canon
qui sont en Chine une pure ostentation et compara-
tivement inoffensifs. Il faut s'estimer heureux de
n'être ni anglais, ni japonais, c'est-à-dire sans l'obli-
gation de prendre parti. Si vous n'avez pas de biens
matériels, pas de possessions visibles, pas d'or enfoui
sous terre susceptible d'être transformé en butin pour
les généraux ou en paye pour leurs soldats, vous pou-

vez traverser la Chine à pied, l'esprit en paix. Et moi,
je suis prêtre de surcroît. Je ne m'intéresse même pas
aux jolies femmes et m'épargne ainsi le risque de finir
mes jours au fond d'un puits. D'ailleurs, nous étions
alors dans une année où le porc était abondant. C'est
un animal dont j'ai toujours raffolé. Je commençai
donc à me répéter avec philosophie le proverbe si
célèbre en Chine : « Le dieu de la guerre est grand
mais un cochon est plus grand que le dieu de la
guerre », lorsque le bruit venant de la cour s'intensi-
fia. J'entendis les soldats crier : « Voilà le général ! »
Et comme on distinguait déjà les pas de sa garde personnelle, tous les hommes qui avaient envahi
l'endroit sortirent à sa rencontre en brandissant leurs
lances et leurs oriflammes jaunes ornées d'un dragon
vert. Je remarquai qu'ils n'avaient ni fusils, ni mitrail-
leuses, ni cartouchières, ce qui était rare parmi ces
élégantes unités chinoises ordinairement armées
jusqu'aux dents.

Je vis arriver une procession illuminée par plusieurs douzaines de lampions en papier. Puis un grand
Chinois, d'aspect martial et vaillant, avec un
nez en bec d'aigle et une immense barbe, mit pied
à terre devant la porte de l'auberge, pénétra à l'intérieur et s'assit à la place d'honneur. Je me dis qu'il
devait s'agir de quelque tyran local, quelque

Boxer de province, ou encore d'un *tukaun*, c'est-à-dire un superbandit de la région, homme d'une grande importance. J'en ai rencontré beaucoup qui s'appropriaient la taxe sur le sel et pillaient parfois les voyageurs. Celui-là, cependant, semblait un véritable prince... Par-dessus son armure, il portait une robe de brocart bleu pâle et une calotte de satin. Ses mains disparaissaient à l'intérieur de ses manches, comme sur les gravures anciennes. Sa barbe aussi m'intriguait ; jamais, sauf au théâtre, je n'avais vu une barbe qui appartînt ainsi, de toute évidence, aux premiers temps du règne mandchou. On lui servit du vin dans une tasse de porcelaine et il avala le contenu d'un bol où des ailerons de requin flottaient dans une sauce trouble avec de petites oranges confites. Il but et mangea fort bruyamment, comme le font souvent les généraux, puis il caressa la femme de l'aubergiste. « Ta femme est laide, lança-t-il à son hôte. Une femme laide est un vrai trésor dans la famille. » Il partit d'un rire sec qui faisait penser à des bambous crépitant dans le feu. Après quoi, il fit quelques bruits répugnants, afin d'indiquer courtoisement qu'il avait bien dîné, et il appela ses officiers : « Cela fait longtemps que vous êtes en route, leur dit-il. Que tout le monde regagne ses quartiers. Moi, je vais me reposer un moment. Dès que vous en recevrez l'ordre, reprenez la marche. » Les officiers lui répondirent par les signes habituels signifiant qu'ils avaient compris et se retirèrent. Le général lança : « A-ts-i ! » Au bout d'un instant, un frêle et jeune officier, au visage peint, vêtu d'une armure d'argent, sortit de la chambre de gauche et se prosterna. Son chef lui confia son bâton de commandement. Les gens de l'auberge fermèrent la porte de devant et disparurent.

L'étrangeté de certains de ces détails, la panoplie d'armes antiques, le harnachement inhabituel des chevaux, les casques mongols des officiers (que je distinguais à peine dans la lumière diffuse des lampions de papier huilé), les capes doublées de chat sauvage et les bottes molles, à l'ancienne, tout cela m'intriguait tant que je me levai pour en voir davantage. J'approchai un œil des fentes de la porte de gauche par laquelle le général avait disparu. Quelques rais de lumière filtraient à travers les planches mal jointes. Dans la pièce, je ne vis qu'un lit de camp en rotin sans matelas ni drap. Des tiges de maïs séchaient sur le toit. Le général paraissait inquiétant et majestueux à la faible lueur de la lampe. Il avait l'air d'un puissant de ce monde, mais on aurait dit, en même temps, un être en cage. L'aide de camp se tenait au garde-à-vous près de la porte. Il se prosterna derechef puis s'avança. Les ombres colossales des deux hommes

(anormalement agrandies, car la lampe qui les proje-
tait était posée par terre) dansaient un ballet fantas-
magorique contre les murs grossièrement blanchis à
la chaux. Ils semblaient parler, mais, bien que je fusse
tout proche, je ne distinguai pas le moindre son. Leurs
voix étaient aussi basses qu'un bourdonnement de
guêpe.

Je fus alors témoin d'une scène extraordinaire : le
général saisit son nez plat entre le pouce et l'index,
plaça son autre main contre sa nuque, fit tourner sa
tête et la détacha de ses épaules. Sans faire le moindre
bruit, il la déposa sur le lit de camp... Imaginez cela :
il dévissa sa tête, barbe comprise, sans même ôter son
casque. La bouche s'ouvrit et plusieurs grosses dents
noires en tombèrent et s'éparpillèrent sur le plancher.
Les yeux tremblotaient imperceptiblement dans leurs
orbites ; on aurait dit deux huîtres. Ils seraient tom-
bés, eux aussi, si la fente des paupières n'avait été aussi
étroite. Le corps resta debout. A l'endroit du cou, qui
me paraissait creux, j'aperçus un sombre canal qui
menait à l'intérieur. Aucun sang ne jaillit, simplement quelques légères vapeurs noirâtres... Le fidèle
A-ts-i s'empressait autour de son général avec autant
de soin qu'une femme de chambre. Il commença par
lui enlever sa robe de brocart, puis son armure, sur
laquelle étaient gravés des dragons dorés, puis ses

bracelets et enfin il lui retira ses deux bras, au ras des aisselles, et les plaça aussi sur le lit, l'un à droite et l'autre à gauche, comme deux de ces goupilles métalliques qui servent à maintenir ensemble les différentes parties d'une horloge. Ensuite, le général s'étant allongé, le diligent aide de camp détacha et rangea exactement de la même manière les deux jambes de son maître que ses continuelles chevauchées avaient légèrement arquées. A leur tour, ces membres tombèrent sans bruit sur le lit, comme s'ils étaient remplis de sciure. Au même instant, la lampe s'éteignit et je ne pus assister à la fin de cet atroce et extraordinaire dépeçage.

Je m'enfuis en titubant et regagnai ma chambre. Me couvrant les yeux de ma manche, à la mode chinoise, après m'être barricadé de mon mieux derrière des caisses je restai ainsi immobile, à attendre l'aube. Entre le premier et le second chant du coq, je sentis un froid acéré me parcourir. J'écoutai attentivement : l'armée entière devait dormir, sans nul doute, car je n'entendais pas un bruit. Je me décidai à ouvrir les yeux et à me lever. Le jour commençait à poindre... J'avais dormi à la belle étoile, dans un épais fourré. Au loin, le « Pays jaune » s'étendait à perte de vue pour se fondre finalement avec l'horizon. Dans mon voisinage le plus immédiat, j'apercevais d'inoubliables difformités du « lœss » chinois, une contrée de fossés et de ravins, remplie de grottes et de donjons que l'on aurait pu prendre pour des ruines hantées mais qui n'étaient pourtant que des caprices de la nature. Le bleu profond du ciel pâlissait et derrière moi, dans le lointain, les montagnes que j'avais franchies la veille au soir commençaient à disparaître. J'étudiai attentivement le paysage qui m'environnait : aucun signe de vie humaine, pas une pagode, pas une habitation, pas même un tombeau. Je repris ma route et arrivai une heure plus tard dans un petit village regroupant quelques-unes de ces maisons chinoises qui semblent enfouies dans les champs, presque au ras du sol. J'avais enfin atteint Tien-Tchou-Tan et devant moi se dressait la mission catholique, avec son excellente cuisine, ses bonnes sœurs alsaciennes et ses lépreux. Je trouvai le père Elemir, ancien professeur de l'université de Pékin. Sa brave figure rougeaude d'Occidental acheva de m'ôter mes dernières craintes et de me rassurer sur les réalités terrestres. Sans lui confier le moindre détail des événements de la nuit précédente, je lui parlai vaguement de l'endroit où je m'étais arrêté.

— La région que vous avez traversée, m'apprit mon savant collègue, a jadis été la scène de gigantesques massacres... C'était il y a fort longtemps... vers

la période des Han. Les anciens historiens mention-
nent une terrible journée — aux environs de l'an 200
avant Jésus-Christ — où trois cent mille personnes
ont péri ; ils décrivent même la façon dont le célèbre
général Hiang-Tsi a été mis en pièces après la bataille
par des soldats désireux de s'octroyer la récompense
promise en échange de sa vie.

Et le père Elemir ajouta :

— Sans le savoir, vous avez passé la nuit dernière
sur un très ancien champ de bataille... J'espère que
cela ne vous a pas empêché de dormir sur vos deux
oreilles ?

IV
Fantômes chinois

Deux anecdotes passionnantes et spectrales
racontées à une jeune personne durant
un trajet en automobile

— Il fut un temps, dis-je à Dorothée durant un
trajet en automobile, où les fantômes étaient à la
mode. Aujourd'hui, l'influence du revenant, et tout
spécialement du vampire, s'affaiblit un peu partout.
L'Écosse et l'Irlande, deux pays qui fournissaient cet
article au monde entier, ont vu sensiblement diminuer leurs exportations. Il est révolu, le bon temps des
châteaux néo-gothiques à la Walter Scott. Les fantômes, réactionnaires de nature, ont fui l'Allemagne
dans le sillage de la noblesse terrienne — en dépit de
la colossale exploitation des chroniques spectrales par
le cinéma allemand. Quant aux États-Unis, s'il arri-

vait qu'on y entendît encore des cliquetis de chaînes au milieu de la nuit, on pourrait être certain qu'il ne s'agirait pas d'un revenant, mais de la Ford d'un promeneur attardé qui rentre chez lui. En Asie, les fantômes sont nombreux, mais ce sont principalement des âmes de femmes ayant trop aimé l'amour de leur vivant et qui n'apparaissent qu'aux hommes très jeunes.

— En Europe, elles n'attendent même pas d'être mortes, fit remarquer Dorothée.

Je poursuivis :

— Le Japon a ses revenants — Lafcadio Hearn a su en tirer un merveilleux parti — mais ils doivent beaucoup aux légendes chinoises.

Le dernier fantôme a fui notre monde trop matériel et les spectres se sont réfugiés en Chine où ils peuvent dormir pendant le jour et sont encore libres de se promener, la nuit, dans ce pays où ils ne sont pas effrayés par l'électricité. En effet, la lampe à filament, qui peut faire pousser les plantes, éclore les poussins et chanter les coqs, a frappé de terreur les revenants qui sont des êtres timorés — tout à fait provinciaux dans leurs opinions et couche-tôt invétérés.

J'appartiens à une génération qui ne croit plus en rien ; pas plus aux fantômes qu'à autre chose. Dorothée a dix ans de moins. Elle fait partie d'une génération encore plus immorale puisqu'elle prétend avoir retrouvé la foi en toutes sortes de choses que nous avions mises au rebut, notamment les dentelles de la fin de l'ère victorienne, les bateaux dans des bouteilles, les miracles et tout ce qui touche au surnaturel. Où cette manie des antiquités et des bibelots va-t-elle nous mener ? Lorsque Dorothée insiste pour que je lui raconte des histoires de revenants, j'ai l'impression d'être un vieillard gâteux, assis à sa place habituelle, au coin du feu, et non pas un jeune homme moderne qui conduit une automobile, une jolie femme à ses côtés.

— Je suis un piètre narrateur, déclarai-je. Et pour vous le prouver, je ne vais pas faire monter habilement la tension jusqu'au dénouement final. Non, je vais bêtement commencer par l'histoire qui contient la meilleure idée. On pourrait l'intituler *Les deux pivoines*.

Sous la dynastie mongole des Yuan, on avait coutume d'illuminer les rues durant les cinq premières nuits de la première lune. C'est la période où le ciel, enfin lavé de ses tempêtes destructrices et des orages trop longtemps couvés, se révèle par endroits dans sa limpidité, comme un beau vêtement repassé de frais.

Des lampes aussi nombreuses que les étoiles, mais d'un éclat plus rouge, d'énormes lampions faits de vessies de porcs et ornés de grands symboles vermillon, embrasaient littéralement les rues. Tous ceux qui avaient dormi ou travaillé pendant le jour sortaient pour profiter de la fraîcheur nocturne. Les enfants couraient dans les rues poussiéreuses ; des dames de qualité passaient, cachées dans leur voiture bleue ; des jeunes gens et des jeunes femmes déambulaient, grisés par les lumières vives.

Une nuit, la quinzième environ de l'année Kengtzen, un jeune étudiant du nom de K'iâo était assis sous l'auvent qui surmontait sa porte et regardait passer les promeneurs. Il était triste car il venait de perdre sa femme et envisageait la vie solitaire qui l'attendait, sa vieillesse sans enfants, ses obsèques sans famille. Il était minuit passé, la foule commençait à se disperser. Soudain, le jeune homme aperçut une servante portant une lanterne sur laquelle étaient peintes deux pivoines et dont elle se servait pour éclairer la route d'une jeune fille de dix-sept ou dix-huit ans, drapée dans un châle rouge sur une robe bleue. Elle cheminait vers l'ouest. Grâce au clair de lune, le jeune homme vit qu'elle était jolie et son cœur s'enflamma. Il se mit à la suivre, puis la dépassa délibérément pour mieux scruter son visage. La jeune fille remarqua ce manège. Elle tourna la tête et sourit au jeune homme, en lui disant :

— Bien que nous ne nous soyons point promis de nous rencontrer, ce ne peut être le seul hasard qui nous réunit ainsi au clair de lune...

Le jeune K'iâo s'inclina et répondit :

— Ferez-vous à mon humble maison l'honneur d'une visite ?

Sans répondre, la jeune fille appela sa servante qui marchait devant elle.

— Reviens, Kinn-Li-En. Éclaire notre route...

Le jeune homme prit la main de la jeune fille et la conduisit chez lui. Il lui demanda d'où elle venait et comment elle se nommait.

— Je m'appelle Fu-Li-King, dit-elle. Mon père était juge à Hoa-Tche-U. Mes parents sont morts. Je n'ai point de frères. Je vis seule avec mon *amah*, Kinn-Li-En, dans le quartier de Hu-Si.

Ils passèrent ensemble une bonne partie de la nuit, à boire du thé et à se livrer à des occupations plus tendres. La jeune fille partit avant le lever du jour. Le soir, après la tombée de la nuit, elle était de retour... Et elle revint ainsi tous les soirs.

Peu après, le jeune K'iâo, qui avait pris grand soin de ne parler à personne de sa bonne fortune, reçut la visite d'un voisin. Ce dernier lui avoua qu'intrigué par les allées et venues de la jeune fille il avait espionné ce qui se passait et regardé par les fentes de la porte. Or, quelle n'avait pas été sa stupeur de voir K'iâo — oui, K'iâo en personne — occupé à souper et à folâtrer avec une femme qui portait sur ses épaules une tête de mort fardée de rouge et poudrée !

— Vous avez offert l'hospitalité à un cadavre, déclara-t-il. Prenez garde, quelque désastre vous guette. Le temps aidant, elle épuisera votre force vitale ou bien elle vous enveloppera de son souffle et vous savez bien que l'haleine froide des morts tue...

Étreint par la crainte, le jeune homme décida d'aller dès le lendemain vérifier les renseignements que sa jeune amie, d'elle-même, lui avait livrés. Il se rendit dans le quartier de Hu-Si, où elle avait déclaré habiter. Là, nul ne connaissait de demoiselle Fu-Li-King. Sur le chemin du retour, venant à passer devant la célèbre pagode d'Hu-Sinn-Sen, il y pénétra. Il découvrit une chambre isolée, laquée de noir et d'or, où, sur un catafalque dressé dans le fond de la pièce, était posé un cercueil ; sans doute une de ces bières temporaires dans lesquelles les provinciaux défunts attendent d'être emportés vers leur sépulture permanente... K'iâo n'y prêta point d'attention particulière, jusqu'au moment où ses yeux tombèrent, par hasard, sur l'inscription suivante : Fu-Li-King, fille du juge

Fu, de Hoa-Tche-U. A côté du cercueil, il vit une de ces images de papier qu'on utilise lors des enterrements et qui symbolisent les serviteurs du défunt. Il y déchiffra les mots Kinn-Li-En. C'était le nom de la nourrice qui, la première nuit, avait accompagné son amie. L'ultime preuve lui fut fournie par la lanterne placée devant le cercueil et sur laquelle étaient peintes deux pivoines. Ce dernier détail acheva de le convaincre.

K'iâo était étudiant mais il était aussi poltron qu'un soldat. Il n'eut pas plus tôt fait cette découverte qu'il s'enfuit sans regarder derrière lui. Il s'empressa d'aller conter sa mésaventure à son voisin ; il était bel et bien en butte aux avances amoureuses d'une revenante.

— Ne repassez plus jamais devant la pagode d'Hu-Sinn-Sen, lui conseilla le voisin, quelque peu versé dans la sorcellerie et les pratiques de ce genre. Clouez le talisman que voici dans votre alcôve et je suis certain que vous ne recevrez plus de visites nocturnes.

Il remit à K'iâo quelques papiers sur lesquels il avait inscrit un exorcisme taoïste.

Et il en fut comme l'avait prédit le voisin. Pendant un mois, tout se passa le mieux du monde. Ni la jeune fille, ni sa servante ne reparurent. Mais un soir, ayant réussi ses examens, K'iâo, qui fêtait son succès avec des amis, but plus que de raison. Il rentra chez lui en

81

titubant et passa devant la pagode fatale, oublieux des mises en garde reçues. Kinn-Li-En, la nourrice, le guettait à la porte.

— Ma pauvre demoiselle soupire après vous depuis bien longtemps, s'écria-t-elle. Et elle accabla K'iâo de tendres reproches.

— Venez, entrons !

K'iâo, l'étudiant, toujours saoul, la suivit dans la pagode et longea la galerie jusqu'à la chambre laquée. La jeune fille, le visage peint et poudré, l'attendait, assise sur son cercueil. Elle lui tendit les bras.

— Ingrat, tu m'avais oubliée, dit-elle au jeune homme. Et moi qui croyais t'avoir plu... Ne t'appartenais-je point ?

Dans l'état d'ébriété où il se trouvait, K'iâo reçut mille caresses et baisers — non pas sur la bouche, comme le veut l'impudique coutume en vogue parmi les Blancs, mais à la manière chinoise qui consiste à humer bruyamment la peau de l'être aimé.

— Et maintenant, ajouta-t-elle, cynique, d'une voix grinçante qu'il ne lui connaissait pas, maintenant je te tiens et je ne te lâcherai plus !

Elle saisit K'iâo par son habit. Le cercueil bascula soudain et ils furent engloutis à l'intérieur. Puis le couvercle se referma sur eux...

Remarquant bientôt la disparition du jeune

homme, son voisin s'inquiéta. Un groupe d'amis partit à la recherche de l'étudiant. Comme il demeurait introuvable, quelqu'un eut l'idée d'aller fouiller la pagode de Hu-Sinn-Sen. Là, ils découvrirent qu'un morceau d'étoffe provenant d'un habit masculin était resté coincé entre le bord du cercueil et le couvercle. On avertit les prêtres qui vinrent ouvrir la bière. Le cadavre intact d'une jeune fille serrait entre ses bras le corps encore chaud de K'iâo, l'étudiant...

Or, on estime généralement qu'un cadavre non décomposé constitue une menace envers les vivants. Il se couvre de poils blancs ou noirs et se transforme en vampire.

On décida que la présence de cette revenante vampire avait souillé la pagode. Les dépouilles des deux amants furent emportées jusqu'à un terrain vague, en dehors de la ville, au-delà des fortifications, où on les ensevelit. Depuis ce temps, par les nuits d'orage, les caravanes attardées qui arrivent après la fermeture des portes de la ville et sont obligées de camper pour la nuit à l'extérieur de ses limites voient parfois passer deux ombres, précédées d'une servante portant une lanterne sur laquelle sont peintes deux pivoines...

Dorothée battit des mains.

— Et alors ?...

— Alors quoi ? C'est tout. Sinon que l'on dit aussi

que quiconque rencontre ce trio est pris le lendemain d'une forte fièvre.

— C'est exactement le genre de récit que j'adore, déclara Dorothée. Au début, cela commence comme dans la vie réelle : c'est la jeune fille qui fait des avances. Ensuite vient un épisode sentimental, mais en même temps terrifiant. Mettez alors Sherlock Holmes dans le rôle du voisin — Scotland Yard ; et puis un fantôme qui arrive en automobile, portant des gants de caoutchouc pour ne pas laisser d'empreintes digitales. Adapté ainsi à la mode d'aujourd'hui, on en tirerait facilement une vingtaine d'épisodes ou bien un excellent morceau de résistance pour Hollywood. Je vous recommande tout particulièrement le dernier fondu : la silhouette de l'*amah* s'évanouit et il ne reste plus sur l'écran que les deux pivoines... Cela dit, il faudrait que votre jeune homme soit très beau. Les femmes adorent les spectres séduisants aux yeux de velours noir...

— Oui, mais les hommes préfèrent les blondes, répliquai-je en me laissant aller contre elle, sous le fallacieux prétexte de prendre un virage serré. J'ai une autre histoire, repris-je. Elle me fut racontée par un acteur chinois. Quand vous serez devenue tout à fait adulte, Dorothée, et aurez découvert que les acteurs chinois ne racontent que des histoires peu convenables, vous me saurez gré de n'être pas allé plus loin que je ne vais le faire avec celle que voici.

L'acteur en question faisait partie d'une troupe de comédiens ambulants qui traversait une mauvaise passe financière. La saison d'été au Grand Monde, qui est à Shanghaï ce que Coney Island est à New York, s'était terminée sans leur laisser un sou en caisse. Bref, chacun des acteurs s'apprêtait à prendre ses quartiers d'hiver, à mettre en gage les superbes robes brodées, les magnifiques perruques, les fausses barbes et les pipes à opium et à tâcher de survivre grâce à ces activités insignifiantes et plus ou moins légitimes qui constituent le second métier de tout acteur chinois, lorsqu'un soir, un messager spécial arriva en *rickshaw* au bureau du théâtre et annonça au directeur de la troupe : « On a besoin de vos services sur l'heure. Vous allez donner la comédie dans une certaine demeure, au-delà de la porte de Nankin. Vous serez grassement payés. »

Aussitôt, toute la troupe fut sur le pied de guerre. Quelqu'un courut chercher les vieux acteurs dans les fumeries d'opium ; on découvrit l'acrobate dans la pagode où il avait déjà commencé sa retraite et on fit revenir les actrices — car cette troupe en comportait, étant une compagnie de comédiens — des divers cabarets où elles se donnaient beaucoup de mal pour distraire de vieux négociants ivres. Tout ce petit monde, auquel s'ajoutaient les décors et les accessoires, s'entassa dans trois Ford et eut tôt fait de quitter la ville à destination de l'endroit indiqué par le messager. La nuit tombait. Ils passèrent devant les écoles américaines, à leur droite, traversèrent la concession française et atteignirent enfin la rase campagne. Bientôt, au-delà des mines de houille et des gazomètres, ils virent apparaître une maison aux fenêtres brillamment éclairées, remplie d'une foule de gens. Bien qu'ils fussent au cœur même d'un quartier moderne, la demeure était construite dans le style ancien et les invités paraissaient pauvres, vêtus d'habits froissés et démodés.

Au moment où les acteurs descendaient de voiture, une duègne sortit de la maison et leur dit : « Cette demeure appartient à une riche héritière. C'est la fille d'un des grands marchands de riz de Shanghaï. Elle se nomme mademoiselle M'u. Elle vous prie de ne jouer pour elle-même et ses invités que des scènes d'amour et elle demande instamment qu'aucun personnage de *djinn* (il s'agit d'un génie bienfaisant) ne paraisse dans votre représentation et qu'il y ait le moins de bruit possible, si vous le voulez bien mes chers comédiens. »

Le vieil acteur qui m'a raconté cette histoire et qui

servait de régisseur agença son programme conformé-
ment aux instructions reçues. Dans la pénombre
d'une remise, ils dressèrent une estrade de fortune. Il
n'y avait pas d'électricité, rien que des lanternes. Les
acteurs chantèrent de minuit à l'aube sans le soutien
d'un orchestre et sans se voir offrir ni gâteau, ni verre
de vin. Une sensation de malaise planait sur la salle...
Il n'y avait pas un seul applaudissement. Le public
était tout à fait insolite. Jamais les dames, installées
dans des loges fermées et cachées derrière la tradition-
nelle paroi grillagée, ni les messieurs, au parterre,
n'élevaient la voix de façon audible. Ils s'exprimaient
tous par chuchotis et il était impossible d'en saisir un
traître mot. En outre, cette requête de ne faire apparaître le moindre *djinn* était contraire à toutes les traditions de la scène chinoise. C'est, en quelque sorte, le
djinn qui est chargé de maintenir l'ordre ici-bas et
dans les régions infernales. Il est l'ennemi des spectres, des esprits fugitifs et vagabonds, des renards et
des fantômes animés de mauvaises intentions qui tous
le redoutent et le fuient... En même temps, c'est un
personnage indispensable du théâtre chinois, une
sorte de *deus ex machina* sans lequel nulle comédie ne
saurait être menée convenablement à son terme.

« On trouvait chez mes camarades, me confia le
régisseur, ce mélange de sottise, de solidarité profes-

sionnelle et de vanité, propres aux acteurs dans le monde entier.

Ils s'entendirent pour transgresser l'ordre qu'on leur avait donné. Dès que la réplique voulue eut été donnée, le *djinn* (c'est-à-dire l'un des acteurs tenant le rôle de ce bon génie) s'avança sur la scène, brandissant son épée à deux mains. Son entrée fut accompagnée par un assourdissant fracas de tambours et de cymbales. Aussitôt, des éclairs jaillirent et j'eus l'impression que la terre allait s'ouvrir sous nos pieds. Au même instant, une obscurité totale nous enveloppa. On n'entendait plus un bruit. Le jour commençait à poindre... »

Les comédiens, à ce que m'assura le régisseur, se retrouvèrent seuls, au milieu de fourrés, devant une tombe. Ils replièrent leurs décors, rassemblèrent au plus vite accessoires et costumes et lorsqu'ils regagnèrent la ville, le soleil se levait.

On questionna les gens du voisinage mais ceux-ci ne surent que répondre. Ils n'avaient rien vu, rien entendu. La seule chose que l'on put apprendre fut que la tombe devant laquelle les acteurs s'étaient arrêtés était la sépulture d'une certaine demoiselle M'u, ancienne et célèbre actrice de la fin du XVIIIe siècle.

V
Le cheval de Gengis Khan

La Mongolie mystérieuse
marque de son empreinte
la vie d'un voyageur parisien

Erik La Bonn franchit la Grande Muraille de Chine à P'ing Fu et continua son chemin en direction du défilé de Leng K'on. La Mongolie s'étendait devant lui, plate comme une planche où la petite caravane, avec ses chevaux, ses mules, ses porteurs, ses conducteurs d'attelage et le voyageur lui-même, avançait avec des sinuosités de tire-bouchon. Erik La Bonn était un jeune aventurier excentrique, aussi indépendant que le proclamait la longueur de son nez, passionnément épris de vagabondages. Parti de Pékin, il entendait regagner l'Europe à cheval, car il redoutait bien moins de mourir de froid que d'étouffer dans la chaleur du transsibérien. Depuis plusieurs jours, il cheminait ainsi, tout seul, chantant *Parsifal* à gorge déployée, ses longues jambes battant les flancs de son cheval mongol ; et comme son costume était inattendu dans ce genre d'expédition — un pardessus de ville cintré à la taille, des pantalons, un col montant amidonné et un chapeau gris (qu'il portait par principe) — il ne manquait pas de provoquer un étonnement considérable parmi les Chinois qu'il croisait. On le prenait assurément pour un grand personnage.

La caravane franchit des fleuves qui se révélèrent de sérieux obstacles : leurs méandres étaient tels qu'il fallait souvent les traverser une bonne quinzaine de fois. Finalement, ils pénétrèrent dans le désert de Gobi. Ils y trouvèrent des chameaux, dont le pelage qui commençait à s'épaissir annonçait l'approche de l'hiver ; des soldats en congé sans solde, avec des yeux de loups ; des marchands assis, avec leurs femmes, parmi leurs effets et qui tiraient placidement des bouffées de leur narguilé ; des missionnaires de la Société biblique étrangère ; des escrocs qui montraient une incroyable dextérité au jeu du coquillage pour lequel les Mongols sont prêts à perdre leur âme et leurs dollars. Un soir, passablement lassé de ce spectacle qui ne variait jamais, Erik La Bonn laissa

son escorte derrière lui pour aller visiter, à mi-pente
d'une colline, un pavillon de chasse construit pour le
grand empereur Kien Lung. Il se perdit et s'aperçut
soudain qu'il était seul dans une vallée désolée, criblée
de pierres et de rochers. Certes, depuis des jours et des
jours on ne voyait plus d'arbres, mais jusqu'à cet instant il n'avait pas vraiment ressenti la grandeur vaste
et nue de l'Asie. La piste elle-même avait disparu.
Après s'être mêlée à plusieurs chemins de moindre
importance, qui s'éparpillaient dans toutes les directions, elle semblait soudain s'être interrompue au
bord d'un précipice, au seuil d'un univers infernal.

La Bonn ignorait la peur. Durant ses pérégrinations, il emportait pour seule arme de la farine de
moutarde, avec laquelle, expliquait-il, il se défendait,
le jour, contre le goût infect de la cuisine indigène et
dont, la nuit, il saupoudrait son lit pour éloigner la
vermine. Les bandits, lui avait-on assuré, ne rançon-
naient que les riches familles nomades et molestaient
rarement les Européens, si bien qu'il ne redoutait
vraiment rien, sinon la ténacité des mendiants et
l'odeur des femmes mongoles. Il s'arrêta. A perte de
vue, il n'y avait rien que des débris de roches porphy-
riques, des puits de mines de charbon désaffectées et
un soleil aveuglant qui embrasait l'air sec de
l'automne. Tout à coup, à quelque vingt ou trente

mètres, il remarqua sur le sol un objet extraordinaire qu'il prit d'abord pour un miroir. S'étant approché, il constata qu'il s'agissait d'un crâne de cheval mais ne vit aucune trace du reste du squelette. Ce crâne était si blanc, si parfaitement poli par des années de pluie et de vent, si pur dans sa substance, si étrange dans sa forme — avec la déclivité échancrée du nez et les horribles creux des orbites —, si religieux, aurait-on pu dire, dans sa stérile nudité, qu'il semblait dater des toutes premières années de la vie sur terre.

Erik La Bonn mit pied à terre et prit l'objet dans ses mains ; il pesait terriblement lourd. Pendant un long moment, ayant posé le crâne sur ses genoux, il s'absorba, nouvel Hamlet, dans ses pensées. S'agissait-il des restes d'une caravane morte de soif, vaincue par les vents féroces et salés ? Ou bien était-ce l'ultime vestige de la monture de quelque défunt prince mongol en robe rouge, repoussant et goîtreux, un porte-étendard ou un chef de clan peut-être, que l'on avait envoyé garder l'un des bastions les plus avancés de la Grande Muraille ? Ou bien encore, était-il en présence de l'unique survivant d'une grande bataille qui, traqué par les loups, avait fini par tomber en ce lieu ? Un cheval ! La Bonn songea à l'ère des Sung où le cheval était roi, chanté par tous les poètes, immortalisé par les meilleurs artistes ; on le retrouvait, sous forme d'effigie d'argile ou à l'état naturel, dans toutes les tombes de l'époque. Le cheval, sans lequel aucune des grandes migrations n'aurait été possible ! Cette immense vallée rocheuse n'était aujourd'hui déserte que parce que ses anciens habitants, les Mongols, les Huns et les Turcs, avaient pu, grâce à leurs chevaux, conquérir la Chine, l'Inde et l'Europe. Gengis Khan, alors, avait été le maître du monde ; mais le maître de Gengis Khan, c'était son cheval.

La douceur de la peau est signe de jeunesse, mais le poli d'un squelette prouve son grand âge. A en juger par l'aspect de ce crâne qui avait pris le lustre de l'ivoire, la chair s'en était sans nul doute détachée depuis des siècles. La Bonn laissa libre cours au délire de son imagination. Exalté bientôt par sa solitude et par l'aura qui nimbait une si glorieuse relique, il perdit conscience du temps et de l'espace et s'endormit. Il rêva aussitôt qu'il avait retrouvé le crâne du cheval de Gengis Khan et qu'il ne pourrait jamais plus s'en séparer.

Il fut arraché à ce songe par l'arrivée de son escorte qui le rejoignit à la tombée de la nuit et qu'en ouvrant les yeux il trouva prostrée à terre. La vue du crâne avait empli ces hommes d'une sainte terreur. Il fit charger sa précieuse trouvaille dans une charrette et l'on se remit en route. On entendait déjà les hurlements des chiens sauvages ; une odeur de peau de chèvre et de fumée, qu'apportait le vent, trahissait la proximité d'un village. D'ailleurs un long mur de boue séchée se découpait à l'horizon, ponctué de sourdes lueurs. Ils approchaient de Jehol, « La Ville de la Vertu Totale ».

Il dut descendre dans un hôtel de quatrième ordre, de ceux que l'on appelle en Chine les « tavernes à cochons ». C'était jour de marché, tous les autres établissements étaient complets. Des peaux de chèvre séchaient au grand air ; leur odeur forte masquait à peine la puanteur du fumier et des eaux d'égoût qui coulaient à ciel ouvert au milieu de l'unique rue de la ville. De grands diables en tuniques bleues s'employaient à charger sur leurs chameaux des peaux en provenance de Dzungarie, tandis qu'un contrôleur chinois, en robe et chapeau jaunes, les marquaient, à l'encre de Chine, de caractères formant le nom d'un port sur l'océan Pacifique où devaient être expédiées les peaux en route vers l'Amérique.

Les serviteurs préparèrent un lit pour l'arrivant et La Bonn attendit que l'on cuisinât son dîner : quelques gâteaux de millet. Il avait placé le crâne devant la porte de sa chambre ; l'objet fut vite entouré d'une foule de curieux médusés qui le contemplaient avec une crainte respectueuse. Des femmes aux pied plats et difformes vinrent le regarder ; des chiens errants, à l'expression revêche, les poils dressés sur l'échine, et des lamas au crâne ras, vêtus de jaune, continuaient à tourner autour de l'étrange fétiche de l'homme blanc.

De toute évidence, les Chinois sceptiques et indifférents étaient bien loin ; on était désormais au milieu de Mongols superstitieux et sauvages, fils d'un pays où triomphaient la magie et toutes sortes de pratiques démoniaques. Bientôt la foule fut telle que la cour de l'auberge était noire de monde. Les vessies de porc qui faisaient office de lampes étaient allumées. Alors, les vendeurs d'opium et les directeurs du théâtre de Jehol envoyèrent une délégation pour se plaindre de ce que les lieux de plaisir restaient vides et pour exiger que l'étranger se retirât dans sa chambre et eût l'obligeance d'y rester.

Le lendemain, ayant laissé sa carte chez le gouverneur — en Orient, laisser sa carte passe pour un rite propitiatoire et il importe de sacrifier à cet usage courtois —, Erik La Bonn se rendit au temple. Il s'agissait d'un monument ancien, en boue séchée, n'appartenant à aucune époque bien définie ; il se dressait en dehors de la ville, au beau milieu d'une décharge publique. En ce lieu, Bouddha souriait. La Bonn fut reçu par un prêtre vêtu de soie jaune, midocteur, mi-sorcier ; homme fort agréable au demeurant. Usant des circonlocutions habituelles, le voyageur lui posa plusieurs questions. Il lui fit demander si, dans cette région, on attachait une foi ou une croyance quelconques aux ossements d'animaux et tout spécialement aux crânes des chevaux. Il lui fut répondu que n'importe quel squelette était une dangereuse abomination, parce que l'âme avide d'un corps erre toujours autour de son ancienne dépouille dans l'espoir de se réincarner. Un crâne de cheval avait souvent enrichi celui qui l'avait trouvé, mais causait la mort de sa progéniture mâle. Les femmes enceintes de plus de cinq mois avaient tout lieu de le craindre. Tout dépendait, cependant, du jour où l'objet avait été découvert.

Hier soir... ?

Ah ! C'était l'un des pires jours qui fussent, déclara le lama, l'un des plus redoutés de tout le calendrier. Bien qu'il fût encore temps de dire quelques prières avant la tombée de la nuit, il n'y avait guère d'espoir. Et rien d'autre à faire que de fuir devant l'invisible, berner les démons ou brûler le crâne. En entendant ces sornettes, La Bonn haussa les épaules et donna l'ordre d'accrocher sa trouvaille à sa selle. A dater de ce jour, la tête de cheval ne quitta plus cette place.

Le voyageur traversa ainsi toute l'Asie centrale.

Une protection invisible paraissait émaner du crâne :
jamais les bandits ne s'approchaient de la caravane ;
nul endroit où on ne lui accordât l'hospitalité. La
Bonn fut autorisé à se laver dans les sources chaudes
et sacrées ; lorsqu'il atteignit le pays des grands pâtu-
rages, il eut toujours sa part de viande fraîche et presque chaque nuit, il trouva un lit de bois sous les tentes
étranges des nomades mongols, habitations faites
d'un feutre si épais qu'elles sont aussi chaudes à l'intérieur qu'une de ces marmites norvégiennes où, sans
feu, l'on peut faire bouillir des aliments. Lorsqu'il
rencontrait des lamas en pèlerinage vers le Thibet,
ceux-ci l'honoraient en lui offrant du thé. Tous les
soirs, La Bonn suspendait le crâne à un poteau
enfoncé dans le sol devant sa tente.

Il fut non seulement cordialement reçu en Mongolie, mais tout aussi amicalement au Turkestan, à
Kokand et Bokkara. Les religions, les coutumes et les
couleurs de peau changeaient mais le crâne de cheval
continuait à lui valoir un respect universel. La population, devenue progressivement musulmane, réserva
à La Bonn un accueil tel que nul Européen n'en avait
reçu depuis l'arrivée des bolcheviques. Jusqu'aux
douaniers qui le laissèrent passer sans payer de
droits.

Un soir, La Bonn arriva gare de l'Est, à Paris, portant sous le bras le crâne du cheval de Gengis Khan. Des effusions sentimentales, accompagnées d'un lyrisme verbeux, lui montaient aux lèvres chaque fois qu'il en parlait, ce qui, toutefois, était rare. Les gens de la ville, esclaves de leurs habitudes mesquines, se bousculant dans les rues étroites, calfeutrés dans leurs maisons hautes et laides, n'ont plus la moindre affinité avec la beauté des steppes et la vie des nomades. La Bonn, ne trouvant pas d'appartement, dut se contenter d'une petite chambre d'hôtel dans le quartier Latin. Un lit Louis-Philippe — beaucoup trop grand — et une armoire à glace la meublaient, si bien qu'il avait à peine la place d'ouvrir ses malles-cabines. Il commença par placer le crâne sous la coiffeuse, puis sur la cheminée. La relique, si majestueuse et provocante lorsqu'il l'avait trouvée, là-bas, dans les dunes étincelantes du désert de Gobi, ne présentait désormais pas plus d'intérêt qu'un déchet provenant d'une boucherie chevaline de Paris ; ce n'était plus qu'un squelette bon pour un chiffonnier. La poussière l'avait terni et rendu grisâtre. La Bonn, cependant, n'avait pas le courage de s'en débarrasser, ni même d'avouer qu'il était considérablement gêné de l'avoir en sa possession.

Une Anglaise, lady Cynthia D., entendit parler du cheval de Gengis Khan et manifesta à son sujet le plus vif intérêt. En réalité, elle s'intéressait surtout au jeune Français, mais elle le supplia de lui confier ce qui restait du destrier mongol, annonçant qu'elle suspendrait le crâne au-dessus de son lit. Elle mit dans les orbites des rubans bleus qui ressortaient par les narines, ce qui acheva d'ôter à la spectaculaire relique sa dernière once de mystère. La Bonn eut toutes les peines du monde à l'empêcher de la faire dorer. Deux jours après que lady Cynthia eut installé l'étrange trophée au-dessus de son lit, alors qu'elle se reposait dans sa chambre, on entendit un grand bruit venant de la pièce et l'on retrouva la malheureuse baignant dans son sang. Le maudit objet s'était détaché et lui avait fendu le crâne. La jeune Anglaise ne se remit de sa blessure qu'au prix de mille souffrances et ne voulut plus jamais entendre parler de la tête de cheval ni de son propriétaire. Après cet accident, la monture de Gengis Khan reprit le chemin du quartier Latin. La Bonn la garda un certain temps, mais à la veille d'un nouveau voyage il la confia à un capitaine au long cours, retraité et invalide. Cet homme très simple — mais devenu plus imaginatif depuis qu'il était contraint de mener une vie sédentaire — avait écouté le récit de La Bonn avec enthousiasme et réclamé le privilège de veiller sur le crâne durant l'absence de son ami. Alors, notre grand voyageur reçut du capitaine de curieuses missives qui devinrent bientôt inquiétantes, avant de verser dans la démence absolue. Au moment où il se préparait à rentrer en France, il apprit que l'on avait retrouvé, un matin, le vieux marin pendu à la poignée de sa fenêtre. Sur la table, bien en vue, se trouvait la tête de cheval. La Bonn espéra que les héritiers du capitaine la recevraient en partage et veilla à ne pas donner signe de vie. Pourtant, dès le lendemain de son retour, il reçut la visite d'un notaire venu lui apprendre qu'il était légataire universel de son ami défunt et que le crâne fatidique lui serait retourné dès que les scellés auraient été levés. Plusieurs événements se succédèrent alors : un peu après que La Bonn eut donné l'objet à un peintre pour une nature morte, le studio de ce dernier brûla entièrement. Il l'offrit ensuite pour une tombola, mais le numéro gagnant ne fut jamais présenté. L'histoire du crâne commençait à être connue. Les domestiques n'osaient plus entrer dans la pièce à cause de la « tête hantée », comme ils disaient. Et il semblait, en effet, que l'étrange immunité qui protégeait La Bonn de tous les malheurs dont le ciel aurait pu le frapper, et qui étaient restés comme suspendus au-dessus de sa tête sans jamais s'abattre, était brusquement interrompue dès qu'il n'était plus en possession du crâne. Il n'osait pas le détruire, craignant quelque malédiction, et il n'osait plus se risquer à l'offrir à quiconque, redoutant de se faire complice d'un crime.

— Hélas ! Toi qui es tout ce qui reste du compagnon du plus grand conquérant que le monde ait connu, songeait La Bonn, peut-être n'y a-t-il rien que tu craignes plus que le repos. Peut-être veux-tu échapper au destin sédentaire que je t'ai donné et recouvrer ta liberté ? Est-ce la raison pour laquelle tu perpètres tous ces forfaits ? Il n'est pas impossible que ce que tu apprécies chez moi soit notre goût commun pour une vie vagabonde, cette passion d'aller toujours vers des pays nouveaux et des climats changeants.

C'était la nuit, et, soliloquant ainsi, La Bonn regardait de son lit le crâne de cheval ; le clair de lune le nimbait d'un doux éclat argenté qui n'avait plus rien de terrestre et semblait refléter la couleur de l'infini.

La Bonn sut que le moment était venu. C'était maintenant ou jamais. Il enfila un pardessus sur son pyjama, prit le crâne sur ses épaules et descendit dans la rue ; l'objet était lourd et il fut vite obligé de le porter à deux mains. Il atteignit enfin le pont de l'Alma. La bise aigrelette lui rappela les vents impétueux des steppes. La Seine s'incurvait doucement en passant devant le Trocadéro dont les deux tours, plus noires que la nuit, se découpaient sur le ciel. Le fleuve, devenu moins majestueux déjà, un peu en amont, face au Louvre, s'abandonnait sous ses yeux à une grâce romantique, suivant son cours en direction de Passy. Erik La Bonn plaça le crâne sur le parapet. Il songeait aux grands fleuves sibériens, aux torrents de l'Altaï chinois, à ses affluents mongols qu'avalent les sables salés et assoiffés du désert... Que la Seine était petite en comparaison, qu'elle manquait de profondeur pour une telle aventure — une telle fin ! Mais y a-t-il jamais une fin à quoi que ce soit ?

Les lumières électriques éclairaient le fleuve et le teintaient de rose, à la façon de ces lotions pour le visage qu'on vend dans les instituts de beauté... La Bonn poussa le crâne dans la noirceur du vide... Il y eut un silence, puis le bruit d'un corps heurtant l'eau. Sûrement le poids de l'objet allait le faire couler à pic... Mais non... Miracle ! Le crâne flottait ! Oui, ce lourd objet flottait bel et bien, emporté par le courant comme un bout de papier. La Bonn le vit distinctement prendre le milieu du fleuve, puis dériver doucement vers la gauche en suivant le coude que faisait la Seine.

Le cheval de Gengis Khan, joyau des steppes mongoles, avait repris sa route. Où irait-il ? Peut-être serait-il arrêté dès le lendemain par quelque obstacle, un pêcheur ou les menottes d'un enfant ? Peut-être, au contraire, ayant librement gagné la haute mer, deviendrait-il un étrange hippocampe ? Hanterait-il les donjons de l'océan — avec dans sa bouche le goût du sel, ce goût semblable à celui du grand désert mongol qui se souvient encore qu'il fut, jadis, une mer ?

VI
Chu-Ti de Canton

Un flirt innocent entraîne un voyageur
dans le maelström de la politique chinoise

Nous quittâmes la Chine peu après que les troubles
qui avaient éclaté à Canton eurent atteint leur apogée.
Les communistes étaient maîtres de la ville et du
fleuve et lorsque nous mouillâmes dans le port de
Hong-Kong, celui-ci débordait de réfugiés chrétiens,
de missionnaires, de marchands de soie, d'intermé-
diaires parsis et arabes et de personnages douteux de
toutes races, qui, pour une fois, avaient trouvé plus
forts qu'eux et avaient dû s'enfuir. Notre navire était
tellement surchargé qu'en dépit de mon œil averti
de voyageur chevronné j'ignorais qu'il y eût à bord
des passagers chinois en première classe ; je ne le

découvris qu'au bout de quatre jours, lorsque nous fîmes escale à Saïgon. Et ce fut peu avant notre arrivée à Singapour que je remarquai un personnage considérable, entouré de secrétaires ; c'était le général Ku-Tchong. Agé d'une trentaine d'années, il était grand et glabre, en dehors d'une petite moustache de phoque noire, avec un visage plat. Son aspect ne laissait pas présager d'une vive intelligence. Il était chargé d'une mission qui, à l'instar de la plupart des missions diplomatiques chinoises, ne paraissait pas avoir de but bien défini. Il ne faisait aucun doute que l'objet de son voyage était de faire sortir de Chine, pendant quelques mois, un certain nombre de personnes distinguées et de leur remettre, à cet effet, des fonds prélevés sur les deniers de l'État. Qui étaient ces personnes ? Nul à bord ne put me renseigner sur ce point.

Un soir, à l'heure où tout le monde se réunissait sur le pont avant pour assister à la représentation que nous donnait quotidiennement la nature — le coucher du soleil —, j'aperçus mademoiselle Chu-Ti au milieu d'un groupe d'attachés de la mission Ku-Tchong. C'était une jeune Chinoise, vêtue d'une longue robe blanche sur laquelle elle portait une petite veste bleu pâle. Sa chevelure était si courte, si soigneusement lissée en arrière à l'huile de coco qu'elle

semblait peinte à même la tête ; les sourcils, épilés,
étaient dessinés au pinceau. Par contraste, le carmin
de ses lèvres se détachait sur l'étrange pâleur de son
teint. Enfin, le nez aux narines à peine renflées et les
yeux, si bridés et si étroits qu'on les voyait à peine, se
confondaient avec le visage d'un blanc velouté. Où
cette ravissante jeune Chinoise avait-elle bien pu se
cacher depuis deux semaines ? J'entamai de mon
mieux des manœuvres d'approche, mais le général
Ku-Tchong se montra distant. Il ne parlait qu'un dialecte du sud de la Chine, si bien que j'en fus réduit à
bavarder avec ses secrétaires qui, pour leur part, ne
pouvaient prendre sur eux d'imposer à leur chef un
Européen aussi sans-gêne. Je réussis toutefois partiel-
lement dans mon entreprise, puisque j'appris le nom
de cette jeune beauté, mademoiselle Chu-Ti, et aussi
qu'elle était la maîtresse du général. Elle sortait d'une
respectable maison de thé de Shanghaï, connaissait
par cœur plus de deux mille poèmes, changeait son
vernis à ongles tous les jours et, souffrant du mal de
mer, ne montait que rarement sur le pont. Ce qui
m'emplit d'étonnement, ce fut de constater qu'elle
semblait l'objet d'une extrême considération de la
part des autres membres de la mission. A chaque
escale, on embarquait de nouvelles quantités de
victuailles, mangues, liqueurs et fleurs, qui lui

étaient destinées. A Colombo, le général revint avec un mouchoir noué aux quatre coins empli de pierres précieuses ; à Aden, ce fut une boîte en fer pleine de plumes d'autruche ; à Djibouti, des coraux blancs.

Plusieurs soirs après que j'eus remarqué mademoiselle Chu-Ti, le hasard voulut qu'un attaché du consulat de France à Ceylan, qui avait été longtemps en poste dans le Yunnan et parlait chinois, montât à bord. Je lui demandai de faire officiellement passer ma carte au général Ku-Tchong en l'accompagnant de quelques courtoises phrases d'introduction. J'étais français, en mission diplomatique, comme lui. Le navire sur lequel nous voyagions appartenait aux Messageries maritimes ; je pouvais donc me hasarder dans une telle entreprise sans crainte d'enfreindre les convenances. A peine avais-je fait cette démarche que le général m'invita, après dîner, à prendre une coupe de champagne au bar du pont arrière. Nous échangeâmes fort cérémonieusement les formules de politesse convenues, ainsi que nos cartes, mais mademoiselle Chu-Ti ne parut point et pendant plusieurs jours je n'eus pas le plaisir de l'apercevoir. Une nuit, cependant — une de ces nuits de l'océan Indien, torrides, étouffantes, remplies d'étoiles pâles et vertes —, j'arpentais le pont, incapable de dormir dans ma cabine mal ventilée. Je m'étais accoudé à la rambarde pour regarder l'écume phosphorescente jaillir à la proue du navire comme une pluie de pièces d'argent, lorsque je pris soudain conscience de la présence de mademoiselle Chu-Ti. Elle aussi était montée prendre l'air. Elle était seule et je m'approchai pour lui parler. Elle baragouinait quelques mots de mauvais anglais et je connaissais pour ma part un tout petit peu de chinois. Nous eûmes tôt fait de jeter les bases d'un flirt innocent.

Aimait-elle danser ?

Passionnément.

Savais-je danser le charleston ? demanda-t-elle.

Je ne savais pas, mais j'eus néanmoins l'audace de lui assurer que j'étais maître en la matière.

Je courus dans ma cabine chercher mon gramophone et sur le pont désert du navire endormi, je lui donnai (ainsi qu'à moi par la même occasion) une première leçon. A partir de cette nuit-là, on vit souvent mademoiselle Chu-Ti sur le pont. Jamais le matin ; mais à l'heure du thé, elle faisait son apparition, arborant chaque jour une toilette nouvelle. Nous eûmes droit à un véritable défilé flottant de toutes les soies et couleurs de la Chine. Elle descendait dîner, à l'occasion, et surprenait alors les autres passagers par ses robes de soie rose ou verte, aussi fragiles qu'un dessin sur porcelaine, aussi délicates dans leurs coloris que les peintures des Sung ; ses petits pieds étaient chaussés de satin et elle portait au front un diadème en plumes de martin-pêcheur. Ses yeux étaient maquillés avec le plus grand soin : deux fleurs noires épanouies dans des vases bleu pâle. Ses sourcils épilés et redessinés, placés beaucoup plus haut sur le front que les vrais, prêtaient à son visage une sérénité égale à celle de Kwa-nonn. Pourtant, quelle qu'eût été son attitude à d'autres moments, je sentais que, sous ses paupières bombées qui se découpaient en haut-relief, elle me lançait souvent de rapides œillades plus lui-santes que la surface de l'huile. Un soir, après avoir de nouveau sablé le champagne avec le général et le capitaine du navire, enhardi par plusieurs coupes bien glacées avalées alors que j'avais très chaud, je saisis mademoiselle Chu-Ti par le poignet et me mis à dan-ser avec elle en public. Le général donna quelques signes de nervosité : la couleur de ses tempes changea imperceptiblement et sa narine droite frémit deux fois. Sa jeune maîtresse dut pourtant le rassurer dans mon dos car le sourire ne quitta point ses lèvres et il ne fit pas le moindre geste pour s'interposer. Il m'invita même à descendre dans sa cabine pour y savourer un autre breuvage. C'était du thé — un thé vert, parfumé et amer — que nous bûmes au milieu de

malles de chez Innovation, de valises de bambous, de
boîtes en laque japonaise et de revolvers. La cabine de
Chu-Ti communiquait avec celle du général. Sur la
table, se faisant face, il y avait deux machines à écrire
ainsi que du papier carbone, des mausers automati-
ques et une boîte d'opium de la Régie indochinoise.
Chaque tasse que l'on m'offrit fut prétexte à de nouvelles salutations.

Le général me demanda si le Moulin-Rouge était
ouvert, combien d'étages comptait la tour Eiffel, s'il
était vrai qu'elle eût un ascenseur dans chacun de ses
quatre piliers et si je pensais que le président du
Conseil le recevrait dès son arrivée à Paris. Chu-Ti,
qui avait commencé par nous laisser seuls, entra.
Jamais je n'avais vu autant de grâce, autant d'artifices,
contemplé visage plus séducteur. Elle était assise sur
un tabouret bas, aux pieds du général, son seigneur.
Un brusque pincement d'envie me fit comprendre
que j'étais amoureux de Chu-Ti. Jamais un tel
mélange de parfums ne s'était élevé d'une seule
femme au même instant. Ils emplissaient la petite
cabine de luxe, ces parfums de la Chine qui, comme
ses vins, ont une saveur fruitée — citron vert, aman-
des amères ou écorce d'orange. Je me mis à parler
politique et demandai à Chu-Ti ce qu'elle pensait des
mouvements révolutionnaires dans le sud de son

pays. Elle me répondit distraitement qu'elle n'était qu'une femme et n'entendait rien à la politique. Peu après, l'un des secrétaires de la mission fit son entrée, porteur d'un radiogramme, et réclama des instructions. Le général lut le message avec ostentation, mais je vis bien qu'il n'en comprenait pas le contenu. Il le tendit alors à Chu-Ti qui se leva pour aller taper une longue réponse à la machine. Il devait bien y en avoir pour cent dollars. Elle ouvrit sa sacoche et en tira un carnet de code. Je jugeai plus courtois de me retirer, mais, à dater de ce jour, je me pris à douter que Chu-Ti fût aussi ignorante en politique qu'elle voulait bien le dire.

Étendu sur ma couchette, avant de m'endormir, je songeai longtemps à Chu-Ti. L'expression déférente que j'avais saisie dans les yeux du secrétaire lorsqu'il la regardait, l'attitude impuissante et stupide du général Ku-Tchong me portaient à croire que c'était elle l'âme de la mission, son véritable chef. Eût-elle été une de ces intellectuelles chinoises en pantalons de golf, formées dans les universités américaines et portant lunettes, je n'aurais eu aucune peine à le comprendre. Mais ce n'était absolument pas le cas ; au contraire, elle était, manifestement, une courtisane, une de ces « fleurs » de Shanghaï, entretenues dans le luxe par les marchands de thé et les grands trafiquants d'opium, que l'on peut voir, l'été, à l'heure où vient enfin la revigorante fraîcheur du soir, assises dans leur Cadillac ou dans un *rickshaw* verni, autour du *Puits bouillonnant*.

Peu à peu, je fus convaincu que les fils invisibles d'une intrigue politique extrême-orientale se resserraient autour de moi. Extérieurement le général me traitait avec la plus grande considération. Dès le moment où il se rendit compte que Chu-Ti ne m'était pas indifférente, il s'arrangea pour qu'il lui fût facile de se trouver en ma compagnie.

La jeune fille, il faut le reconnaître, semblait heureuse d'être avec moi. Elle riait de mes saillies, des efforts balbutiants que je faisais pour parler sa langue et me posait des questions sur l'Europe où elle n'était jamais allée. Elle était défavorable au mouvement du Kuomintang à Canton, pour la bonne raison que son père était mandarin et lettré. Elle me demanda de lui donner l'adresse d'un endroit où elle pourrait s'acheter du vernis à ongles. Avoir des ongles aussi brillants que le cristal semblait représenter pour elle le bonheur suprême. Un matin, je trouvai tous mes Chinois agglutinés autour de la cabine de radio : de mauvaises nouvelles venaient d'arriver.

Un certain nombre de jeunes Européens, voyageant à bord de notre navire, s'intéressaient à Chu-Ti.

Comme il arrive souvent lors de ces voyages en mer, j'avais suscité des jalousies. Quelques-unes des rumeurs qui circulaient arrivèrent jusqu'à moi. On me laissa entendre que mes amis chinois, qui prétendaient faire cause commune avec le gouvernement de Pékin, étaient en réalité, on le savait de source sûre, affiliés à certaines des sectes les plus radicales de Chine. Pourtant, connaissant le fiévreux besoin de controverses, la méchanceté et les calomnies qui peuvent naître de ces longues croisières, je n'accordai guère de crédit à ce que j'entendis raconter. Je continuai à faire ma cour à Chu-Ti, sans jamais obtenir, je dois le dire, le moindre avantage. J'appris toutefois par les stewards et les garçons de cabine que, tous les soirs, elle s'enfermait chez elle à clef pour recopier des rapports sténographiés, et qu'à la vérité sa conduite était au-dessus de tout reproche. Cela me consola un peu. Un soir, ayant veillé fort tard autour d'une table de poker, alors que j'allais me coucher, la curiosité m'incita à faire un détour par le pont supérieur où se trouvaient les cabines de luxe. Nous traversions alors la mer Rouge et il faisait une chaleur accablante. Tous les hublots étaient restés ouverts. Je hasardai un regard par celui qui donnait dans la cabine de mademoiselle Chu-Ti. La lumière était allumée et on avait laissé la porte entrouverte afin de créer un courant d'air. Un ventilateur ronronnait. Chu-Ti dormait, allongée sur son lit. A travers le crêpe de Chine de sa chemise transparente à col montant, je discernais la minceur de son corps d'enfant. Avec ses cheveux coupés court, on aurait dit un jeune garçon endormi. Un stylo qui traînait sur le drap l'avait taché d'encre. Chu-Ti avait été vaincue par le sommeil en plein travail. Un assez gros volume reposait sur son estomac. Je me penchai pour mieux voir : c'était un dictionnaire, un de ces lexiques français-chinois compilés par les jésuites de Shien-Sien. En observant plus attentivement, je crus comprendre que le travail de Chu-Ti avait consisté à noter à l'encre dans ce dictionnaire certains mots figurant sur un mince carnet en papier de riz, tombé à terre ; le courant d'air du ventilateur agitait ses pages avec un bruit qui faisait penser au froufrou d'une soie un peu raide. Étendue ainsi, que Chu-Ti était belle ! Et désirable ! Je quittai le pont pour m'avancer dans la coursive, en me disant que j'allais risquer un coup d'œil dans la cabine à travers le rideau qui masquait la porte, de façon à mieux voir ma ravissante jeune amie. Mes pas ne faisaient aucun bruit sur le tapis de caoutchouc. Tout le bateau dormait. Quand j'eus fait le tour et atteint la coursive sur laquelle ouvrait sa cabine, je remarquai un objet blanc à mes pieds.

C'était le carnet en papier de riz que j'avais vu, un instant auparavant, sur le tapis de la cabine et que le courant d'air du ventilateur avait dû pousser jusqu'à l'entrée. Ma curiosité fut plus forte que tout autre instinct ; je me courbai, ramassai le mince carnet et me sauvai aussi vite que je pus.

Lorsque j'eus regagné ma cabine, je glissai les papiers sous mon oreiller. Le texte qui s'y trouvait était écrit en chinois. Le lendemain, j'empruntai un petit dictionnaire de mandarin fort médiocre à la bibliothèque du bord et je tentai de déchiffrer le contenu de ma trouvaille. Mais je n'y compris pas grand-chose. Il me sembla que le texte contenait des instructions obscures. Des points de concentration et des lieux de rencontre pour certains groupes étaient indiqués par un système numérique. J'avais l'impression qu'il s'agissait d'une espèce de plan de mobilisation rédigé en code. Suivait une liste de noms de sociétés chinoises à Paris et dans d'autres pays d'Europe. L'affaire me paraissait passablement sotte, comme tout ce qui touchait, sur le plan politique, aux sociétés officielles ou secrètes fondées par les Chinois à l'étranger. Je rangeai le carnet parmi mes propres papiers, dans l'intention de le donner par la suite à certains de mes amis de Paris qui s'intéressaient aux affaires intérieures chinoises. Mais dans la bousculade et la surexcitation de mon arrivée en France, la chose me sortit tout à fait de la tête.

Cela faisait trois semaines que j'étais de retour à Paris et, peu à peu, j'avais cessé de penser à Chu-Ti. C'était son apparence, sa souple enveloppe extérieure, qui m'avait attiré, plus que sa véritable personnalité. Un soir, cependant, tandis que je m'habillais pour le dîner, on frappa bruyamment à ma porte. Un Chinois me tendit une enveloppe sur laquelle étaient tracés les mots suivants, à l'encre vermillon : « Le mandarin français est prié de suivre le chauffeur qui lui apporte ce message et de venir me voir sans perdre un instant. Signé : Chu-Ti. » Je n'hésitai pas, et, pour le plaisir de revoir ma belle amie, je renonçai au dîner auquel j'avais été convié. Je remarquai que le chauffeur, tout chinois qu'il fût, semblait connaître parfaitement Paris. Il se dirigea vers les Invalides, prit l'avenue du Maine, puis la Porte d'Orléans. A Villejuif, après s'être engagée sur la route de Fontainebleau, la voiture vira à droite, franchit une grille et s'arrêta dans une petite cour. Je suivis mon guide à travers un jardin de banlieue parsemé de détritus. Nous arrivâmes devant un pavillon dont la petite porte s'ouvrait avec une vraie clef de prison, presque aussi grande que la porte elle-même. A l'étage, je découvris une chambre tendue de soies chinoises. Chu-Ti s'y trouvait, allon-

117

gée sur un matelas, le cou, les bras et les pieds nus. Elle me souriait.

— Chu-Ti vous a envoyé chercher, compagnon de mon voyage à travers l'océan, dit-elle, parce qu'elle vous aimait beaucoup — mais seulemet en tant qu'ami. Par un hasard peu fréquent, elle est libre pour la nuit entière. Le général est en voyage avec tous les autres membres de la mission. Alors parlons un peu, comme deux bons amis.

— Était-ce là votre seul but en...

— Oui, mon seul but.

— Non, Chu-Ti, je devine clairement que vous avez autre chose à me dire. Peut-être s'agit-il d'un secret ?

— Peut-être, mais je ne puis en parler avant la fin de cette nuit. Oui, c'est quelque chose qui vous concerne. Quelque chose de très grave. Laissons passer les heures. Ou bien vous est-il si pénible de vous reposer ici, près de moi, la tête appuyée contre ces coussins, enveloppé de cette douce fumée... ?

Elle me tendit un peignoir de soie et je m'étendis sur la natte.

... Quand le matin fut venu, Chu-Ti se leva. Elle entrouvrit la fenêtre et se pencha sur moi. Une brise fraîche pénétra dans la pièce. On entendait, sur les pavés Louis XIV de la route de Fontainebleau, le roulement sourd des carrioles vides de maraîchers qui revenaient de vendre leurs légumes à Paris.

— Je vous ai demandé de venir ici, me dit Chu-Ti, parce que j'éprouve de l'amitié pour vous et que votre vie est en danger.

— En danger ?

— Oui. Et par votre faute. N'avez-vous pas été assez imprudent pour garder en votre possession les papiers qui ont disparu, une nuit, de ma cabine ? Ne savez-vous pas qu'on vous surveille depuis tout ce temps ?

Je rougis et ne sus que répondre. Je feignis d'avoir oublié.

— Avez-vous lu ces papiers — ou vous les êtes-vous fait lire par quelqu'un ?

— ... Je ne m'en souviens pas... Non, inutile de fouiller l'océan pour les retrouver ; ils sont toujours en ma possession, dis-je.

— Ce sont des documents politiques de la plus grande importance pour nous. On vous a vu les ramasser. Il nous les faut, à n'importe quel prix. Quand vous rentrerez chez vous, ne vous étonnez pas si vous constatez qu'on a forcé votre domicile durant la nuit. Je voulais vous empêcher d'y être. Je craignais qu'il ne vous prît fantaisie de résister... et que cela ne

vous coûtât la vie, car je savais nos hommes résolus et qu'ils ne reculeraient devant rien pour récu-
pérer les papiers en question... A présent, ajouta-t-elle
en souriant, vous pouvez retourner chez vous en toute
quiétude. L'orage est passé... en tout cas, pour ce qui
vous concerne.

Je regagnai donc mon appartement. Je m'attendais
pour le moins à trouver une foule de curieux assem-
blés sur le trottoir, sous mes fenêtres. Personne. La
concierge ne donna aucun signe de surprise. La porte
de mon logis était fermée à clef comme d'habitude.
Pas un bibelot n'avait été dérangé dans mon salon. En
pénétrant dans ma chambre à coucher, toutefois, je
crus rêver, car, bien que les fenêtres fussent herméti-
quement closes, je sentais distinctement dans la pièce
l'air frais du matin : on avait découpé bien propre-
ment, dans l'une des vitres, un carré que l'on avait
ensuite détaché à l'aide de cire molle avant de le poser
par terre. Ma boîte laquée, où j'avais coutume de
conserver tous mes papiers après les avoir classés,
avait été forcée. Chu-Ti ne m'avait pas menti. J'avais
été victime d'un cambriolage dans les règles et la
visite nocturne avait eu lieu à l'heure dite. Ils étaient
entrés dans ma chambre sans grande difficulté, en
grimpant le long d'une conduite qui descendait
jusqu'à la rue et en passant par un balcon voisin. Je

rassemblai tous les documents épars ; le petit carnet en papier de riz avait disparu.

Je m'abstins soigneusement de porter plainte et ne parlai à personne de cette mésaventure, jusqu'au jour où, deux semaines plus tard, je reçus la visite d'un inspecteur de la police judiciaire. Il me demanda si j'avais entretenu des relations avec certains Chinois dont il me cita les noms. Je n'en connaissais aucun. Les Chinois en question avaient été arrêtés quelques jours plus tôt, au moment où ils marchaient sur la Légation chinoise de la rue de Babylone, à la tête d'une bande d'émeutiers. Ils avaient pénétré dans le bureau du ministre, coupé les fils téléphoniques et contraint le représentant du gouvernement de Pékin à signer un document qui faisait de lui un membre du parti communiste. Prévenue à temps, la police française était intervenue et avait interpellé les chefs du mouvement, dont...

— Les derniers Chinois avec qui j'ai été en contact, précisai-je, étaient membres d'une honorable mission officielle...

— Faites-vous allusion au général Ku-Tchong ? me demanda l'inspecteur.

— Tout juste.

— Et à ses compagnons ?... et à mademoiselle Chu-Ti ?

— Oui, je faisais allusion à elle aussi.

— Nous n'étions pas sans savoir, me dit le policier en souriant, que vous étiez en excellents termes avec eux.

— Comment le saviez-vous ?

En fouillant la petite maison de Villejuif, ils avaient trouvé, semblait-il, un répertoire téléphonique dans lequel mon nom était souligné en rouge.

Je lui parlai alors de Chu-Ti et de la mission, formulant mes déclarations en termes circonspects, mais sans rien cacher. L'inspecteur prenait des notes.

Je mentionnai même la nuit que j'avais passée dans le pavillon de Villejuif, si proche de la jeune fille et de façon pourtant si platonique. Petit à petit, je lui racontai l'affaire en détail jusqu'à mon retour en Europe. Je risquai même une allusion à mon amour pour Chu-Ti. Le policier sourit. Il prenait des notes ; il n'arrêtait pas de prendre des notes. Il m'agaçait. Je me mis à le questionner à mon tour. Étant méridional, il avait lui aussi grande envie de parler.

— Monsieur, commença-t-il, tout gonflé de son autorité, ne doutez plus d'avoir côtoyé une bande de communistes chinois des plus dangereux, particulièrement pour ceux de leurs compatriotes qui ne partagent pas leurs opinions politiques. Ils voyageaient tous avec des passeports maquillés et sous de faux noms. L'homme que vous preniez pour le général Ku-Tchong est en réalité un ancien élève du lycée de Canton, diplômé de l'Université ; il a été l'instigateur de plusieurs complots terroristes aux États-Unis. Tandis que ses complices vous droguaient à l'opium et vous berçaient de leur musique dans leur antre de Villejuif, votre hôte, le faux général, a fait prisonniers plusieurs anciens ministres. Il a participé à l'enlèvement et au châtiment du général chinois qui se cachait dans le brouillard londonien — ainsi qu'à son assassinat. Vous avez très certainement lu dans la presse le compte rendu de cet événement sensationnel. Il a joué aussi un rôle dans l'attaque contre la Banque de Mongolie. Quant à la jeune personne que vous vous êtes complu à poursuivre de vos assiduités...

— Lui serait-il arrivé malheur ?

L'inspecteur me regarda et parut hésiter.

— Ses ennemis ont accompli leur vengeance... On l'a retrouvée hier, dans la pièce où elle s'abandonnait aux délices de l'opium — assassinée.

Je me levai ; j'avais l'impression de suffoquer. Je me ruai vers la fenêtre ouverte, mais l'inspecteur s'interposa entre elle et moi. Il ricanait.

— Je vois bien que vous avez été berné de main de maître par...

— Par qui ?

— Par ce jeune homme.

— J'avoue ne pas saisir en quoi cette affaire a le moindre rapport avec un jeune homme, quel qu'il soit.

— Il y avait un jeune homme pourtant. Et fort beau, de surcroît.

— Veuillez vous expliquer.

— Votre soi-disant Chu-Ti n'a jamais été la favorite du communiste Ku-Tchong, alias Lia-Men-Ho, ancien bandit, puis bourreau et finalement assassin politique. Votre Chu-Ti n'était pas du tout une jeune Chinoise, mais tout simplement un autre communiste chinois. On lui avait strictement interdit de révéler à quiconque son déguisement. Son rouge, ses parfums, ses sourires coquets étaient tous soigneusement calculés pour séduire certaines personnes et les attirer dans les pièges qu'on leur avait tendus... Pour une raison quelconque, sans doute parce qu'il s'était pris pour vous d'une véritable sympathie, l'ex-mademoiselle Chu-Ti, ou plus exactement Ah-Tung, jeune universitaire terroriste, vous a sauvé la vie en vous empêchant d'être chez vous pendant le cambriolage de votre appartement. Vous avez donné bien du souci à ces gens. Vous gardiez en votre possession une copie de leur plan d'action en Europe occidentale, dont la première phase prévoyait de se rendre maîtres de la Légation de la rue de Babylone ; elle devait être suivie de plusieurs attentats meurtiers à Londres et à Berlin. Ce plan est désormais sous scellés au siège de la police parisienne. Pour des raisons de sécurité, il ne fallait pas qu'il restât ainsi entre des mains étrangères et ils n'auraient pas hésité à employer la force pour en reprendre possession.

— Il est toujours doux de devoir son salut à une femme, dis-je, ou du moins à quelqu'un que l'on prenait pour une femme.

— Il n'y a que la foi qui sauve, monsieur, fit observer le policier.

Je songeai un long moment à la jolie Chinoise que j'avais remarquée pour la première fois, certain soir, sur l'océan Indien. Il me semblait impossible de penser à Chu-Ti sous d'autres traits, en dépit de ce que je venais d'apprendre.

— Pauvre Chu-Ti ! m'exclamai-je.

Cette fois, l'inspecteur me jeta un regard sévère.

VII
« L'enlèvement au sérail »

Le sort d'un voyageur anglais en Orient
qui enlève une danseuse sacrée

L'honorable Percy Insell était arrivé juste à temps ;
la représentation allait commencer. Il s'assit dans un
fauteuil de peluche rouge et or qui lui rappelait le
Coliseum et en même temps le palais de Buckingham.
Ses pieds heurtèrent un récipient de cuivre, et, croyant
avoir cabossé par mégarde le casque d'un haut digni-
taire, il voulut présenter des excuses. Quand il
constata qu'il s'agissait seulement d'un crachoir des-
tiné aux amateurs de noix d'arec et plein d'un jus
rougeâtre, il se sentit soulagé. Devant lui, l'orchestre
était installé : une trentaine de musiciens, accroupis
par terre. La salle, spacieuse, ne brillait pas par l'ori-

ginalité de ses volumes ; elle était aussi nue qu'un garage, ornée des seuls drapeaux bicolores du royaume d'Indrapura. Sur la gauche, une terrasse couverte ouvrait sur la nuit ; une nuit étouffante, ponctuée d'éclairs et de ces averses équatoriales qui n'apportent aucune fraîcheur.

Invité à ce gala de bienfaisance par l'épouse du *chargé d'affaires* * britannique, c'était à l'ombre de cette Vénus diplomatique, aussi imposante qu'un baobab, que l'honorable Percy Insell était maintenant occupé à observer le décor qui l'entourait. A sa droite, la loge royale faisait saillie, plus richement décorée que la scène elle-même, tapissée des propres bannières du roi d'Indrapura : rouges, avec un semis de serpents noirs, symbole totémique. On voyait au-dessus quatre parasols à neuf étages, ronds et dorés, encadrant un trône vide, car le souverain n'était pas encore arrivé. L'auditoire était composé de hauts dignitaires à la peau couleur de pain d'épices, de fonctionnaires suprêmes coiffés de turbans roses, du corps diplomatique et de plusieurs marchands.

Les *aides de camp* * s'empressaient, en tenue de cérémonie : gilets rouges rehaussés de dragons d'or et de décorations militaires, leurs jambes nues sortant de

* En français dans le texte. (N.d.T.)

pantalons très larges en soie jaune. Les dames de la cour avaient le visage découvert, car l'Indrapura est bouddhiste et non musulman ; leur teint allait d'une pâle nuance ambrée au brun très foncé ; on discernait mal, sous les paupières, le blanc de leurs grands yeux ; l'huile de coco vernissait leur chevelure dont la noirceur contrastait avec les fleurs de mali, sortes de hyacinthes, qu'elles portaient sur la nuque. Selon leur âge, elles étaient toutes plus ou moins victimes de la mode européenne et de l'influence pernicieuse du cinéma. Insell se désolait de les voir ainsi en *décolleté* *, vêtues d'amples drapés, titubant sur des talons Louis XV ; seules les plus âgées semblaient fidèles aux talons nus et au maquillage blanc comme de la craie ; elles portaient toujours ces étroites tuniques de Java, ornées sur les côtés d'un motif en dents de scie. Les bijoux, importés de la rue de la Paix, ou plutôt de la rue de Rivoli, par des marchands tentateurs, n'avaient point privé ces femmes des perles des îles du sud, nuageuses et insolites, non plus que des beaux saphirs noirs qui peuvent guérir les morsures de cobra.

Percy Insell poussa un profond soupir. Ainsi l'Orient, dépeint dans les merveilleux récits qu'il

---

* En français dans le texte. (N.d.T.)

avait lus, appartenait au passé ! Pourtant, avant qu'il ne disparût tout à fait, il éprouvait l'envie de succomber à sa magie — de s'y perdre. Il souhaitait connaître l'une de ces femmes mystérieuses dont le charme le troublait tant. Quelle était la tiédeur de leur peau ? A quoi ressemblaient leurs baisers ? Il se posait ces questions sans se douter qu'en Orient, les baisers n'existent pas.

Il tenta de soutirer quelques renseignements à sa compatriote.

— Peut-on espérer quoi que ce soit des beautés locales ?

— Rien. Ces dames sont fort strictes ; elles laissent à d'autres le souci de ne pas l'être.

— Et... ces autres ?

— Je ne vous les recommande pas, répondit la femme du *chargé d'affaires,* avec une sollicitude toute maternelle.

Percy Insell venait d'arriver des Indes et, avant de poursuivre sa route vers la Chine, il avait fait halte pour visiter l'Indrapura, qui n'est ni chinoise ni indienne, mais un peu les deux. Il voyageait pour des raisons purement culturelles, ayant choisi pour s'instruire la méthode qui prend le plus de temps, coûte le plus cher, est la moins efficace, mais aussi la plus agréable. On comprend aisément pourquoi les Anglais la préfèrent à toute autre. Insell, notre jeune voyageur, était, en 1926, le prototype de ces étudiants d'Oxford dont les romans français et italiens de la Renaissance et du XVIIᵉ siècle se gaussaient déjà ; on retrouvait chez lui la même élocution empruntée, les mêmes cheveux plaqués sur le crâne, le même désir de savoir, tempéré par la *naïveté* *, et sur ses joues la même roseur qui avait fait dire au vieux pape Grégoire le Grand : « Ce ne sont point des Angles mais des anges ! » — *Non sunt Angli sed angeli !*

Percy Insell dépensait à pleines mains l'argent que son père, important constructeur de navires, avait gagné sur la Clyde, à l'époque désormais révolue où l'Angleterre construisait encore des navires.

Il s'efforçait de concilier l'amour et le confort — ces deux frères ennemis —, tâche d'une extrême difficulté en Orient ; mais, tel un parachutiste, il était freiné dans sa descente vers les plaisirs les plus grossiers par la timidité et l'inexpérience. Durant ses deux mois de séjour aux Indes, il n'avait pu, en bon sujet britannique qu'il était, se conduire autrement qu'en écolier d'Eton étroitement surveillé, ou en étudiant des universités, qui se contente de prendre le train

---

* En français dans le texte. (N.d.T.)

pour Londres. C'est pourquoi il espérait qu'à présent, au royaume d'Indrapura, loin du regard des fonctionnaires britanniques, le sort et les femmes lui seraient plus favorables. Dans sa candeur naïve, il s'était imaginé, comme tout un chacun en quittant l'Europe, que l'Asie, contrée légendaire des enchantements amoureux et des plaisirs lascifs, allait lui ouvrir tout grands les bras. A son vif étonnement, il n'y avait trouvé qu'une parfaite pudeur et une conduite irréprochable. Partout triomphait une rigueur spartiate. Trop jeune encore pour n'être pas abusé par les apparences, il ne pouvait s'ôter de la tête l'idée qu'on l'avait trompé sur ce point et il se désolait à la pensée de rentrer un jour chez lui, sans la moindre anecdote un peu scabreuse à raconter autour de la table de l'*In and Out Club*.

— Mais ces danseuses, par exemple ? N'y a-t-il pas moyen de les approcher ?

— A quoi songez-vous ! Voulez-vous nous faire tous massacrer ? De même que les cygnes des étangs sacrés et les éléphants blancs, les danseuses appartiennent au roi. Elles vivent cloîtrées et nul ne se hasarde auprès d'elles.

Au même instant, il y eut un violent tumulte dans la loge royale, derrière le paravent. Parfaitement invisible, comme tous les souverains d'Orient, le roi, qui venait d'arriver, avait pris place sur son trône et la représentation commença aussitôt.

De chaque côté de la scène, deux paravents dorés formaient un passage par où s'avancèrent deux pyramides d'or rouge, qui semblèrent un instant n'être que des panneaux prolongeant les paravents. L'orchestre baissa le ton, pour jouer en sourdine. C'étaient les acteurs ; à droite, un homme ; à gauche, une femme. Ils avaient des visages plats, impassibles, lunaires. Leurs mains et leurs pieds étaient badigeonnés de zinc blanc qui n'était pas appliqué à même la peau, mais sur un fond de safran. Aux joues, une touche de ce carmin chinois, audacieux mais courant. Leurs costumes d'or chaud, qui, au lieu d'être munis de crochets, étaient cousus directement sur le corps, aussi étroitement ajustés à la taille que nos toutes dernières robes du soir, soulignaient leurs formes de façon plus saisissante encore que s'ils avaient été nus. Sur la tête, ils portaient des tiares coniques dont les rabats d'or leur couvraient le front et s'enroulaient de chaque côté des tempes. Côte à côte, les deux actrices (car le rôle de l'homme était également tenu par une femme) s'avancèrent pour un salut cérémonieux, se prosternèrent, les mains tendues, les paumes creusées. Grisé par ce spectacle nouveau et ravissant, Percy Insell se tourna vers les Européens assis autour de lui.

133

Il vit des visages livides et moites de sueur que le climat avait rendus anémiques, des regards bilieux, acceptant avec une expression blasée ce nouvel hommage que leur rendaient les jeunes déesses jaunes, montrant clairement que tout cela les ennuyait et les agaçait. Il en fut rempli d'indignation. La petite danseuse de gauche le troublait. Personne ne savait son nom. Insell commença à s'agiter sur son siège de peluche rouge et or et la femme du *chargé d'affaires* britannique, toujours à l'affût du scandale à éviter, le regarda. Décidée à se montrer indulgente, elle lui glissa :

— Finalement, elles ont quelque chose, ces Négresses.

D'autres danseuses étaient entrées en scène et avaient rejoint les deux premières. Silencieuses, comme des fantômes dorés, elles effectuaient tous leurs gestes au ralenti ; ce qu'elles accomplissaient était moins une véritable danse qu'une succession de poses plastiques, un déplacement continu de l'équilibre. Nulle vulgarité occidentale, aucun de ces sourires, trémoussements, gestes ambigus et autres coquetteries décochées par-dessus les lumières de la rampe. Sous l'œil implacable de leur roi, elles exécutaient leur danse religieusement. Elles ployaient les cuisses, tout en battant la mesure de leurs pieds nus posés bien à plat sur le sol, avec plus de précautions que si elles eussent été juchées sur un poêle chauffé au rouge. Semblable aux rides qui se propagent à la surface d'un fleuve, un mouvement, né dans les bras, prenait sa course au niveau de l'épaule, rompait la ligne du coude et faisait frémir les mains des danseuses. On pouvait suivre toutes ses ondulations, à travers chacun de ces corps, jusqu'au bout des orteils. Les doigts eux-mêmes y participaient — et c'était peut-être ce qu'il y avait de plus beau dans toute la représentation —, pouce et index pressés l'un contre l'autre, les autres doigts fléchis jusqu'à toucher le poignet. Appuyant contre leur taille ces doigts recourbés comme des pétales de jasmin, elles imitèrent la forme d'une araignée. Insell ne pouvait détacher ses yeux de la danseuse de gauche ; il la vit exprimer, par un geste poignant, qu'elle allait s'arracher le cœur... Le regard fixé sur lui et de façon imperceptible, elle paraissait le lui offrir...

Tandis qu'il rêvait ainsi, l'orchestre indien tonitruait de son mieux, frappant des tambours et faisant un bruit d'enfer sur toutes sortes d'instruments curieux. Mouvement monotone qui faisait penser à une fugue de Bach. Insell était exaspéré à l'idée que toutes ces femmes étaient la propriété d'un vieux roi. Joli monarque en effet que cet être mystérieux, invisible, démodé, dont on ne voyait rien pour le moment, sinon deux grands pieds qui dépassaient du paravent à sa droite. On l'entendait tousser et expectorer vigoureusement sa noix d'arec dans le crachoir. En attendant, à en juger par l'orteil court, sensuel, indolent qui sortait de son pantalon d'uniforme blanc, Insell pensa que ce prince était probablement arrogant, paresseux et passionné. L'étrange objet qui lui tenait lieu de soulier était tombé, dévoilant la plante rosâtre de son pied que rafraîchissaient deux ventilateurs. Un troisième, fixé au plafond, servait à illustrer une vérité : tout ce qu'il était possible de voir du roi, c'était la brise qui l'environnait. Percy Insell tremblait en songeant à ces petites danseuses séquestrées, à ces pauvres enfants livrées par leur village ou leur famille au Minotaure et choisies parmi les plus belles...

Il souhaitait de tout son cœur en posséder une qu'il arracherait à son sort et dont il se flattait de pouvoir obtenir l'amour.

— Maître a pas peur ?
— Non.

— Maître peut me procurer opium si je vais en prison ?

— Continue...

— Maître me promet protection britannique ? Si ministre européen me défend, je suis pas torturé...

Insell se trouvait sur la terrasse du bungalow qu'on lui avait prêté pour quelques semaines, car il n'y a pas d'hôtel européen dans la petite capitale de l'Indrapura. La terrasse en question était cernée de bougainvillées retombant en cascades violettes pour s'emmêler aux lianes et aux racines des banians, lesquels ressemblaient à des colonnes s'élevant hors de nids de serpents. Dans le ciel, gris mais pourtant si lumineux qu'il éblouissait plus encore que si l'on avait fixé le soleil, des vautours rouges tournoyaient avant de fondre comme des pierres sur les restes encore fumants d'un sacrifice dans un temple doré tout proche. On entendait les horribles Klaxon des Packard et des Cadillac de riches marchands chinois. Des eaux paresseuses du canal montaient les imprécations de bateliers échoués qui se retrouvaient brusquement coincés au milieu de l'eau par la marée descendante.

— Maître me donne deux mille dollars de Singapour et j'arrange tout...

Celui qui fixait ainsi ses conditions était un Annamite au visage de reptile. Et le service qu'il proposait de rendre à Percy, ce serpent tentateur, n'était rien de moins que de réaliser son rêve de l'autre nuit au théâtre : lui procurer la petite danseuse d'or et d'ivoire. Insell connaissait à présent son nom. Elle s'appelait Jara. En matière de magie, être capable de donner un nom aux choses, c'est déjà les posséder... Demain, s'il pouvait en croire son intermédiaire, Jara serait à lui. L'Annamite, Ha-Tien, s'était matérialisé, un beau matin, comme ces gens qui, sans jamais être annoncés, ne cessent néanmoins de faire intrusion dans nos rêves. Tout ce que l'on savait de lui, c'est qu'il avait jadis été sergent de la Légion étrangère en Indochine et qu'il avait déserté. Par la suite, il s'était fixé au royaume d'Indrapura où il exerçait les métiers de passeur d'opium, de trafiquant d'alcool, de proxénète et de détective amateur. Il avait également des intérêts dans une fabrique de parapluies.

Ha-Tien lisait dans le cœur de Percy Insell comme dans un livre d'images et il savait comment attiser son désir. Dans onze nuits — pas une de plus — Jara lui appartiendrait. Le projet, cependant, ne consistait nullement à franchir en douce les remparts du palais, déguisé en fleur de lotus, pour s'introduire à l'intérieur ; il n'était pas question ici de rendez-vous banal

et furtif. Non, ce dont il s'agissait, c'était d'un véritable enlèvement, irréparable et définitif. Une fois sortie du palais, la petite Jara ne pourrait jamais plus y
rentrer.

— Maître... qu'elle est belle !... Vous risquez deux
mille dollars seulement et elle est à vous ! Moi, je
risque beaucoup plus !

Insell découvrit qu'il était en proie au vertige doux
et romantique de l'aventure. Ah ! ne plus être un
vulgaire touriste, un paquet passif entre les mains de
l'American Express company ! Mener une existence
dangereuse ! Drame asiatique !... Une jonque attendrait... A la grâce de Dieu !... Elle mouillerait dans
l'estuaire de la rivière qui marquait la limite des eaux
territoriales d'Indrapura. Un catamaran viendrait
l'accoster... Jara serait hissée à bord. La corde de
l'évasion n'est guère plus chère que celle du bourreau... Insell compta à Ha-Tien ses deux mille dollars
de Singapour, lesquels se présentent sous forme de
jolies petites billes d'argent massif, enfilées par groupes de vingt et maintenues ensemble par une ficelle.
Ils gagneraient ensuite l'Indochine française, où ils
seraient accueillis amicalement, loin du souverain
d'Indrapura — ce vieux crocodile impuissant et furi-
bond. Ah ! savourer la rage d'un roi, tromper un descendant de Bouddha, et tout cela pour une somme

aussi modique ! Comment Insell aurait-il pu se refuser un plaisir aussi grand ?

Deux jours plus tard, Percy Insell était étendu de tout son long sur son lit et avait confié ses pieds à un pédicure chinois. Il ne voyait de l'homme que son crâne chauve et jaune dont la forme évoquait ces coupoles sous lesquelles les musulmans fortunés ont leur sépulture ; quelques touffes de cheveux, qui avaient ressurgi, faisaient penser aux écouvillons dont on se sert pour nettoyer les fusils. Bien qu'Insell n'eût donné aucun ordre à cet effet, le Chinois était arrivé ce matin-là et s'était présenté sous sa moustiquaire. Quelle différence avec les serviteurs anglais ! En Angleterre, il fallait exprimer ses désirs. Ces Chinois ne sont pas des êtres humains, ce sont des choses — des choses très commodes, d'ailleurs. Mais, dites donc, elle parle cette chose ! Elle prononce le nom de Ha-Tien, celui de Jara !...

Le Chinois est un messager secret. Par son entremise, Percy Insell apprend que son « enlèvement au sérail » doit être retardé de plusieurs jours. Il faut attendre que le roi ait quitté la capitale, profiter d'un de ses voyages dans les montagnes. Insell apprend aussi que Jara ne s'évadera pas toute seule ; une compagne inséparable viendra avec elle... Mais non, pas une vieille harpie de duègne, ni une antique actrice de la troupe, non ! Une autre jolie petite danseuse ; celle qui tenait le rôle du prince dans le dernier ballet de la cour. Cette nouvelle recrue porte le nom d'Antilope de Chine, ses sourcils se rejoignent naturellement, ses mains sont souples et sa bouche est capable de réciter par cœur huit cents poèmes du *Ramayana* ! Insell doit donc cesser de se ronger les sangs. Dans huit ou neuf nuits — car au royaume d'Indrapura, ce sont les nuits que l'on compte — Ha-Tien, l'homme invisible, sera de retour. Dans les ténèbres, il attend son heure. Insell devrait, lui aussi, se résigner à faire preuve de patience.

La veille du grand jour, le jeune Anglais trouva un mystérieux billet parmi les jasmins qu'on plaçait chaque soir sur son traversin, selon la coutume du pays. Tout va bien. Ha-Tien a trouvé le moyen de s'introduire au palais. Mais la chambre où dort Jara est occupée par deux autres danseuses et il faudra, précisait le message, enlever non pas deux mais trois jeunes filles. Insell commença par se fâcher ; puis il se mit à rire. De toute façon, comment aurait-il pu à présent renoncer, obliger Ha-Tien à abandonner ? Peut-être pouvait-il prendre la fuite ? Il n'y avait pas de vapeur avant trois semaines et le royaume d'Indrapura n'est pas desservi par les chemins de fer. Certes, Ha-Tien avait réclamé mille dollars de plus, mais au fond, Insell jubilait en pensant à l'effet qu'il ne pouvait manquer de produire à l'*In and Out* à son retour. Quel membre du club pourrait se vanter d'avoir ravi trois danseuses sacrées à la fois ? Que valaient nos scandales mesquins et banals en comparaison d'un pareil exploit ? Peut-être même deviendrait-il au collège d'*All Souls,* celui qu'il fréquentait à Oxford, l'objet de quelque culte mystique ; et s'il venait à disparaître, on pourrait composer un *limerick* * à sa mémoire :

> *Il avait nom Insell, avait rang d'honorable,*
> *Et ne craignait ni Dieu, ni...*

Le sort en était jeté. D'ici trois nuits, Insell quitterait l'Indrapura en emmenant avec lui les plus précieux trésors du souverain. La fuite était décidée quelles qu'en fussent les conséquences.

La onzième nuit, alors que brillait la deuxième lune, Percy Insell était à son poste sur le pont avant de la jonque louée à un Chinois. Deux grands yeux, chargés de guetter l'apparition des récifs, avaient été sculptés dans le bois de la proue. L'embarcation avait jeté l'ancre à la limite des eaux territoriales de l'Indrapura et serait en mesure de gagner la haute mer en

---

* Petit poème comique, voire salace, d'origine irlandaise. (N.d.T.)

quelques minutes. En passant devant le poste de douane, on avait hissé un pavillon signalant que le bâtiment partait simplement pêcher dans les parages, pour éviter une inspection. Le léger complet de lin et le casque colonial que portait Insell formaient une tache blanche dans l'obscurité. Devant lui, la passerelle de la jonque avait été dégagée pour pouvoir agir au plus vite en cas de manœuvres. Au milieu de l'embarcation, les hommes d'équipage, dont il apercevait les corps nus et rouges, étaient accroupis, occupés à manger leur riz et à fumer de petits cigares dont ils dissimulaient la braise dans leur paume, car le bateau mouillait tous feux éteints.

On entendit enfin un bruit étouffé de rames agitant l'eau boueuse et rose de l'embouchure. Dans les ténèbres, une ombre plus noire encore se profila. Insell, sur le qui-vive, perçut nettement un léger choc contre le flanc de la jonque. Ha-Tien était en train de grimper à l'échelle ; il gagna le pont avant et se prosterna. Se hissant à sa suite, collées les unes aux autres, parurent trois petites créatures brunes, maigres, tête et pieds nus. Lorsque l'Annamite lui annonça qu'il s'agissait de Jara et de ses compagnes, Insell n'en crut pas ses yeux. Où étaient les superbes costumes, les tiares serties de miroirs, les ongles d'or recourbés comme des griffes ? Il avait fallu abandonner derrière soi tout ce riche attirail. Les deux livres d'or finement travaillé que les ballerines portaient sur elles devaient être déposées dans la resserre aux accessoires du souverain, ainsi que les parasols dorés, les trônes en forme de lotus et les masques ravissants que les danseuses maintenaient au moyen d'une ficelle serrée entre leurs dents. Insell prit Jara par la main. Elle débitait des phrases incompréhensibles, en lui montrant ses dents laquées de noir. En présence de cette enfant qu'il avait pourchassée, de ce petit bout de misère physique, il était soudain en proie à un sentiment tout à fait atroce. Seul entre ciel et mer, dans ce pays primitif, l'enlèvement de ces petites gueuses lui paraissait encore plus tragique dans la chaleur de cette nuit équatoriale. Ha-Tien était parti surveiller l'embarquement. Combien de servantes ces petites bonnes femmes avaient-elles donc amenées ? Combien de bagages, de cartons, de valises... ? Avaient-elles vidé leurs appartements... ?

Lentement, les voiles brunes, pliées et froissées comme des feuilles de tabac, furent hissées ; elles montèrent vers le ciel dont elles cachaient les étoiles. Une brise invisible faisait gémir les mâts et tout se mit à pencher d'un côté. Les lumières de la côte s'éloignaient. Ils avaient atteint la haute mer.

Insell s'attendait à vivre une aventure mais pas celle dans laquelle il se trouvait empêtré. Lorsqu'il se leva, le lendemain matin, il trouva Ha-Tien accroupi sur le pont et bientôt prosterné devant lui. Il apprit que la jonque faisait voile non pas sur l'Indochine française, mais vers Singapour. On avait jugé plus judicieux de changer de cap, car des bateaux de la flotte d'Indrapura croisaient dans les parages. Ayant constaté que son maître n'accueillait pas cette nouvelle par une explosion de colère, Ha-Tien poursuivit ses révélations et profita du flegme apparent de l'Anglais pour lui lâcher le morceau. Bref (je me permets de résumer ici l'aveu noyé sous une infinité de circonlocutions asiatiques et de louvoiements orientaux), ce n'étaient plus trois danseuses qu'il y avait à bord...

— Quoi ! Tu ne vas pas me dire cette fois que tout le corps de ballet s'est embarqué avec nous ! s'exclama Percy Insell en riant.

Voyant que l'homme blanc souriait, Ha-Tien hocha la tête pour indiquer que c'était, en effet, le cas.

— Tu veux dire que toutes les danseuses du roi sont ici ?

— Oui, oui...

Troupeau humain pathétique et dépouillé de tout, en route pour l'abattoir, elles restaient cachées au milieu de la jonque, dépenaillées dans leurs pitoyables haillons jaunes et rouges, ressemblant si furieusement aux saltimbanques d'un cirque de province qu'Insell n'avait plus désormais qu'une seule idée en tête : se débarrasser de toute la bande au plus vite. Il entreprit aussitôt Ha-Tien sur ce sujet, lui remit une coquette somme d'argent pour parer aux conséquences immédiates de cette folle équipée et se fit débarquer dans le premier port malais qu'ils rencontrèrent.

A son arrivée à Singapour, quelques jours plus tard, Insell fut accueilli avec grand tapage au Raffles Club. Dans cette ville sinistre, où il ne se passe jamais rien en dehors des allées et venues des navires, il faisait figure de héros, mais de héros beaucoup plus comique qu'il ne se l'imagina tout d'abord. Voici pourquoi : le vieux roi d'Indrapura, ayant vu sa liste civile tronquée par décision du parlement, s'était trouvé dans la cruelle nécessité de faire des économies et de dissoudre son corps de ballet. Il avait donc accepté les offres de l'impresario d'un circuit de music-halls américains qui proposait d'organiser à ses frais une tournée dans le monde entier pour toute la troupe, pourvu que la cour d'Indrapura lui fît immédiatement parvenir les danseuses à Singapour. Les enchères pour le transport des belles *apsaras* furent aussitôt ouvertes et Ha-Tien, dont les offres étaient les plus avantageuses, décrocha le contrat. Cet aigrefin, bien décidé à réaliser dans cette affaire un fructueux profit et ayant sa petite idée sur les désirs secrets de Percy Insell, offrit de combler ceux-ci de telle façon que tout fut conclu à son plus grand avantage. Il avait trouvé le moyen de faire d'une pierre deux coups. Dans son cerveau, si fertile en ruses de toutes sortes, il avait concocté la fable de l'enlèvement clandestin, soutiré de l'argent à Insell pour financer le voyage, emprunté une embarcation. Il était donc parvenu à transporter jusqu'à l'endroit convenu le corps de ballet du roi d'Indrapura au grand complet, aux frais du jeune Anglais. Ce fut ainsi que l'honorable Percy Insell gaspilla plusieurs semaines, sans parler de quantités considérables d'argent et de prestige, en se lançant dans une histoire d'amour dont il ne devait jamais connaître la meilleure part, mais pour laquelle la société Insell Works and Company régla la note, par l'entremise de la Banque de Birmanie, tandis que le jeune homme passait, aux yeux de sa famille, pour le pire débauché que la terre eût jamais porté.

VIII
L'enfant de cent ans

L'auteur, psychanalyste amateur, échoue dans
sa tentative de guérir une jeune névrosée

Lorsque j'appris que Diane, par l'entremise d'un
poison, avait franchi dans son sommeil la frontière si
mal défendue qui nous sépare de la mort, je n'en fus
pas surpris. Diane n'était pas armée pour la vie.

— Que sommes-nous ? s'était demandé mon
extravagante philosophe, parfumée par les soins de
Coty. Qu'est notre corps, sinon l'union provisoire de
cellules lancées par hasard dans une même aventure ?
Tôt ou tard, cet assemblage fortuit devra cesser d'exis-
ter et chaque atome retrouvera sa liberté.

Tous ces assemblages fortuits n'auraient pu reven-
diquer, en tout cas, la perfection de celui que cons-

tituait Diane elle-même. On la disait sotte, mais sa bouche était si rouge que tout ce qu'elle disait me paraissait intelligent. Diane, beauté parfaite. C'était peut-être cette beauté qui lui valait d'être victime d'une malédiction dont la cause restait mystérieuse mais dont l'effet crevait les yeux : Diane était incapable de croire à une réalité autre qu'elle-même. La conviction douloureuse mais rassurante qui, dans notre esprit, intègre l'humanité — et jusqu'à notre existence individuelle — à une réalité universelle n'était pas parvenue à prendre forme dans celui de Diane. Elle était de ces êtres qui, sans chagrin particulier, n'ont pas envie de vivre ; et ce, depuis l'enfance. Elle avait grandi dans un monde en qui elle n'avait pas la moindre foi. En outre, vers sa vingtième année, elle avait sombré dans la neurasthénie — comme on disait dans les romans du XIXe siècle — et ce mal devait entraîner sa mort un an plus tard. Son âme, qu'aucun poids ne lestait plus, avait quitté cette terre, comme le ballon que laisse échapper la main d'un enfant étourdi. Je fus présent à l'un des derniers moments de sa vie. Ce fut peut-être — puisqu'elle devait mourir peu après à Pékin — son ultime effort pour résister à cette funeste folie que son dernier séjour en Asie ne fit que précipiter. Je tentai de la sauver. Je lui tendis une main secourable — sinon désintéressée car je l'aimais. On verra que ce fut en vain.

Dix heures du matin n'est pas une heure très originale et moins encore compromettante ; on peut, à tout âge, l'affronter avec plaisir, à moins de s'être livré la veille au soir à de facheux excès. Ce matin-là, en descendant dans le hall du Grand-Hôtel de Manille, j'étais de la meilleure humeur du monde, prêt à faire face à tout ce que me réservait la journée. Chaque feuille des palmiers qui décoraient l'entrée avait été époussetée avec soin ; les dalles du sol, bien frottées, luisaient de propreté ; quant au *portier* *, rasé de frais, loin d'être mal embouché, sur la défensive et peu disposé à répondre aux questions, il avait l'air d'une ombre dorée qui se mettait en quatre pour satisfaire tout le monde. Dans la salle à manger, les fleurs, réveillées par un arrosage, s'épanouissaient dans une profusion de couleurs. On vous servait, sans qu'il fût besoin de les commander, de savoureux coktails de jus de fruits tropicaux. Le maître d'hôtel préparait ses déjeuners comme un général dispose ses troupes pour la bataille. Du sous-sol ne montait aucune protestation des clients dont la manucure aurait malmené les ongles. Toutes les grandes avenues qui convergeaient vers la ville américaine étincelaient sous le soleil. On entendait au loin le vrombis-

---

* En français dans le texte. (N.d.T.)

sement des avions de la marine survolant la baie, et, de la jetée, venaient par intermittence les éclats de la fanfare militaire. Bref, toute la joie de vivre qui s'exprimait en cet instant engendrait une telle superfluité de bonheur qu'il n'y avait place que pour un désastre.

Au même instant, Diane sortit de l'ascenseur.

Elle fut partagée entre le plaisir de voir quelqu'un vers qui l'inclinait une sympathie avouée, et le désir de sauvegarder une indépendance dont, pourtant, elle ne savait que faire. Je vis qu'elle allait s'exclamer :

— Malheureusement, cher ami, il ne me sera pas possible de vous voir durant votre séjour. Je pars demain.

Ce fut donc moi qui pris les devants et qui lançai :

— Malheureusement, chère amie, il ne me sera pas possible de vous voir. Je pars demain.

Aussitôt, le visage de Diane s'éclaira. Son regard s'adoucit. Comme un chat, elle était toute disposée à rester auprès de vous de son propre gré pourvu que vous n'eussiez pas l'air d'en avoir envie.

— Eh bien, dit-elle, peut-être m'accorderez-vous un peu de votre temps. Et où partez-vous, dites-moi ?

— Je vais à Shanghaï et de là à San Francisco.

— Moi aussi, je vais à Shanghaï ; et ensuite à Pékin, puis à Paris par le transsibérien.

— Sur quel navire embarquez-vous ?

— Le *President-Taft*.

— Moi aussi ! Quelle chance !

Je veillai soigneusement à la tenir dans l'ignorance, à ne pas lui laisser voir que la chance n'y était pour rien. J'avais connu Diane à Paris six mois plus tôt. Elle était américaine, fille d'un gros industriel du Middle West. Parmi toutes les jeunes Américaines de Paris, si belles, si riches, si oisives, qui, loin du sol natal et de leurs familles, deviennent bien différentes de ce qu'elles seraient devenues chez elles, Diane s'était distinguée par son besoin d'une vie trépidante — de façon un peu désordonnée, certes, mais avec un charme original et une efficacité incomparable. Je l'aimais. Elle se laissait aimer sans rien perdre de sa dureté envers elle-même. Elle ne se faisait aucune illusion. Elle se savait indifférente et indisciplinée. Je devais m'attendre à souffrir et je souffris, en effet. Mais comment ne pas se sentir attiré par des êtres qui n'ont aucun besoin de vous ? Je lui avais demandé de m'épouser ; elle m'avait dit non, comme à tant d'autres. J'avais offert de la suivre partout où elle irait ; elle avait exprimé son désir de se fixer à Paris. Mon bonheur, qui était de la voir jour après jour, m'avait paru suffisant et je n'en souhaitais pas d'autre. Je le dis à Diane ; ce fut une grave erreur, car elle était l'esprit de contradiction fait femme. Fut-ce l'effet d'un pur hasard ou d'une froide cruauté si, du jour où je lui eus fait cet aveu, elle décida finalement de quitter Paris ? Je ne l'ai jamais su. Diane me cacha son brusque départ. Je ne me doutai de rien jusqu'au soir où, à la porte du Ritz, alors qu'elle prenait congé de moi, elle me dit, avec dans le regard une expression infiniment claire et terrible et dans la voix un accent de sincérité :

— Il ne faut pas trop compter sur moi, voyez-vous. Je suis quelqu'un de si malheureux... La vie à deux ? Jamais !... Je ne crois en rien... Je n'aime rien, ni personne... Laissez-moi vous dire que tout ceci finira très mal...

En attendant, elle avait disparu. J'appris qu'elle était partie pour Manille, rendre visite à sa sœur mariée à un officier américain en poste là-bas.

A plusieurs mois de là, j'eus à mon tour l'occasion de me rendre en Extrême-Orient. Un soir, dans le port de Singapour, je remarquai, à babord, mouillant tout près de nous, un vapeur de la compagnie *Dollar Line* ; un de ces bateaux portant des noms de présidents. On me précisa qu'il était en partance pour Shanghaï, via les Philippines. L'idée me vint que si j'y allais je reverrais Diane. Je fis porter mes bagages sur le navire américain et débarquai cinq jours plus tard à Manille. J'y appris que Diane s'y trouvait encore, en effet, mais pour quelques jours seulement.

— Dans ce cas, nous allons voyager ensemble ?

— Si vous y tenez, répondit-elle, déjà moins contente de me voir, maintenant qu'elle savait ne plus pouvoir m'échapper. Vous vous rappelez ce que je vous ai dit la dernière fois que nous nous sommes vus, place Vendôme ?

Je m'en souvenais parfaitement, mais feignis d'avoir oublié.

— Moi, je n'ai pas oublié, fit Diane. Il ne faut pas m'aimer... Je suis un être perdu... Les tropiques font déjà un peu partie de l'au-delà... ici, on a l'impression de comprendre à quoi ressemble l'autre monde... il me semble que je suis arrivée à destination... les médecins disent que ce sont mes nerfs... ils me prescrivent la Suisse, la psychanalyse, les eaux... que sais-je encore... ?

Elle soupira.

— Ma vie est un festin auquel j'ai convié le monde entier, mais personne n'est venu.

— Et moi ?

— Oui... vous... et d'autres... Mais personne n'a pu entrer parce que mon cœur n'a pas voulu s'ouvrir.

Nous passâmes une excellente soirée dans un charmant bungalow environné de bananiers dont les grandes feuilles incurvées nous abritaient mieux que le panca. Le soleil était filtré par un entrelacs de bambous au-dessus de nos têtes. Devant la fenêtre se dressait la verdeur hirsute de fougères aussi hautes que des arbres, entremêlées d'hibiscus dont le rose carminé était celui qu'on voit aux joues des actrices chinoises.

— Trouvez-moi une bonne raison de vivre, dit Diane.

Ici pourtant, je ne tentai plus, comme à Paris, de l'aider à se fuir elle-même, à s'évader de cet univers étroit où elle se confinait par orgueil — ce même orgueil qui, plus que le goût du plaisir, cause la ruine de certaines femmes, et particulièrement des meilleures d'entre elles. J'avais renoncé à presser Diane de sortir d'elle-même, à la pousser vers des objets matériels, des êtres humains, les beaux-arts, les nouveaux climats...

Par la force de l'habitude, néanmoins, je ne lui ménageai pas mes reproches.

— Si vous étiez vulnérable, Diane, si vous viviez ici-bas et décidiez d'y rester, je m'efforcerais de vous réconcilier avec les sentiments. Mais nous sommes pris dans un cercle vicieux puisque vous ne pouvez vous résoudre à essayer l'amour.

— Qu'entendez-vous exactement par l'amour ?

— Vous êtes bien la première femme à qui il faut expliquer ce mot. Aimer, c'est se placer au cœur des choses.

— Mais puisqu'au cœur de toute chose, c'est toujours moi que je retrouve... ?

— Vous êtes une statue de pierre, Diane, un monolithe. Oui, une pierre — une très belle pierre tombée du ciel...

Déjà son regard était devenu fixe. Elle s'était retirée à l'intérieur d'elle-même et ne m'écoutait plus. Exactement le contraire des autres femmes qui, lorsqu'on évoque leurs précieuses personnalités, réagissent comme font les lézards quand on siffle, se taisant et dressant l'oreille.

J'essayai alors une tactique brutale :

— Diane, si vous ne m'aimez pas, je me tuerai !

— Pensez-vous ! dit-elle en riant. Votre nœud de cravate est trop bien fait... Non... Ne me croyez point cruelle, sinon envers moi-même. Je vous ai déjà prévenu à Paris. Pourquoi être venu jusqu'ici ? Ou alors, pourquoi ne pouvez-vous, au moins, me sauver ? s'écria-t-elle en éclatant en sanglots. Accomplissez le miracle, obligez-moi à me soumettre à quelque chose qui ne soit pas moi-même. Répondez pour moi aux questions angoissantes que je me pose. Oui... Sauvez-moi ! De quel démon suis-je donc possédée ?

Diane était de ces beautés qui doivent être éclairées de l'intérieur. Dès l'instant où elle s'anima, je fus vaincu. Toutes mes résolutions de l'abandonner à son triste sort volèrent en éclats. Elle me parut de nouveau royale, émouvante, digne d'être sauvée. Le mal qui rongeait son âme affaiblie, chronique sous des latitudes plus clémentes, se trouvait exacerbé par les tropiques. Dans un climat excessif, qui est un peu comme le centre nerveux du monde, la réserve des forces magnétiques de notre planète, la crise s'était nouée. Il ne s'agissait plus de convaincre Diane mais de la soigner. Il fallait l'opérer, le plus vite possible, à l'endroit même où elle souffrait le plus. Je pris sa tête entre mes paumes, comme un hypnotiseur, et je restai un long moment à réfléchir.

— Je me sens mieux, assura-t-elle. Oui... un peu engourdie.

Le vent nous fit parvenir un soupir las, chargé de parfums ; il n'était plus brûlant. Cette complicité de la nature et le trouble qui s'emparait toujours de moi dès que j'étais près de Diane resteraient sans effet. Je voulais être un médecin et rien qu'un médecin. Je m'écartai d'elle.

— Nous ne pouvons continuer ainsi, Diane...
C'est très mauvais pour tous les deux. Le soir n'est pas
loin. Allons nous promener en voiture. Chemin faisant, je tâcherai de vous expliquer ce que je vois en
vous, ou du moins ce que j'aimerais y voir.

Le soleil déclinait. Couchers de soleil sur Manille,
où le ciel lui-même, paré de tons violets et frangé de
nuages portant toute la rage des typhons, ressemble
aux châles indigènes (lesquels, soit dit en passant,
sont fabriqués à Canton). Sur le seuil de leur porte, les
Indiens, la chemise hors du pantalon, faisaient prendre de l'exercice à leurs coqs de combat. Diane et moi,
renonçant à l'automobile louâmes un véhicule impossible pour faire une entrée royale dans la vieille ville
espagnole, mal pavée, somnolente, qui sentait la can-
nelle et le chat. Nous laissâmes derrière nous les officiers du Génie américain qui jouaient au golf dans les
douves de la citadelle et franchîmes les anciennes fortifications, pour vagagonder parmi les vieux canons,
toujours frappés du blason d'Isabelle II. Là, entre
deux remparts, derrière une esplanade en demi-lune,
nous découvrîmes, caché par les hautes fougères au
fond d'un passage obscur et abandonné, l'aquarium
dont les cuves de verre, glauques, s'allumèrent soudain sous nos yeux. C'était le domaine des poissons
tropicaux.

159

— Qu'ils sont beaux ! s'écria Diane.

— Vos péchés aussi sont beaux, répondis-je. Du moins, vous le paraissent-ils (et à moi aussi, hélas ! pensai-je). Écoutez... Je saurai mieux vous faire comprendre ici ce que je n'ai pas su vous expliquer il y a un instant. Imaginez que chacun de ces poissons est l'un des vices qui vous causent tant de souffrance. Ces poissons-boules, bouffis d'air, sont votre égoïsme. Ce défaut a précisément pour effet de vous gonfler d'air, vous obligeant à flotter à la surface de votre conscience, ce qui vous empêche de plonger jusqu'aux profondeurs où vous trouveriez l'insondable et riche nourriture qu'exige votre cœur. Ces poissons roses, ornés de ces voiles si encombrants, ne sont vêtus que pour la parade et constituent sans doute une proie facile ; ils représentent votre vanité qui, loin de vous assurer la suprématie en ce monde, vous met à la merci des êtres plus simples qui ont l'avantage d'être mieux armés. Ces poissons amphibies qui peuvent, dit-on, changer de couleur et traverser les rizières à sec, symbolisent votre indifférence qui est en train de détruire votre personnalité et fait que, faute d'énergie vitale, vous avez le plus grand mal à vous retrouver quand vous vous êtes perdue. Et ces autres, bleu saphir, qu'on appelle poissons-bagnards, à cause de leurs rayures noires, qui ne cessent de parcourir leur cuve de long en large comme s'ils étaient dans la cour d'une prison, ils sont votre paresse qui vous retient captive.

Bien, maintenant, imaginez que tous ces poissons tropicaux d'une exquise beauté, tels que vous les voyez rassemblés ici dans cet aquarium, le plus beau qui soit après celui d'Honolulu, incarnent vos vices charmants — car vous les avez tous en vous — mais qu'ils sont mortels. Il n'y a rien ici que le combat sans pitié de la forêt, empreint de toute la férocité de la jungle tropicale et répété sous les eaux, parmi ces récifs de corail qui ressemblent aux bois d'un cerf. Regardez attentivement à l'intérieur de vous-même ; vous y verrez la même lutte entre le faible et le fort et toutes vos vertus atrophiées qui sombrent dans la défaite.

— Vous êtes un poète, fit Diane avec un petit rire ; mais vous n'êtes que cela... Regardez ceux-là... Ces poissons plats et transparents... On dirait qu'ils sont tatoués !

Nous lûmes l'écriteau :

— Il s'agit d'une espèce de poissons bons à manger la moitié de l'année, mais mortels pour quiconque a le malheur d'y toucher pendant l'autre moitié, expliquai-je.

Diane ne pouvait en détacher ses yeux ; elle pressait

161

son nez contre la paroi comme elle le faisait naguère, rue de la Paix, contre la vitrine d'un bijoutier.

— J'en veux un, annonça-t-elle d'un ton décidé.

— Mais... supposez que nous soyons dans la saison où ils sont mortels ?

— Tant mieux !

La paroi de l'aquarium ne montait pas jusqu'au plafond ; elle s'arrêtait à hauteur de nos yeux. Sans me laisser le temps de l'en empêcher, Diane était montée sur le rebord de pierre, et, plaçant un pied sur l'armature de fer, elle plongeait les deux mains dans l'eau.

— Je le tiens... ! Non... ! Manqué... !

Aussi glissant qu'une savonnette, le poisson lui échappa. Diane ôta alors son chapeau et s'en servit comme d'une épuisette. Ses cheveux courts pendaient au-dessus de l'eau. Très vite, elle ramena un des poissons assassins qui se tortillait, tout mouillé, gonflé d'air et de rage, aussi troublant qu'un fruit tropical empoisonné. Sans hésiter, elle le prit dans sa main. Je voulus l'obliger à lâcher son butin avant qu'elle ne fût piquée, mais se dégageant, elle se sauva en riant et me cria :

— Le poisson est dans un bon jour ! Vous voyez, il ne m'a pas tuée !

— Il ne suffit pas d'être courageuse, Diane, même si la chance vous sourit. Ces poissons, tantôt nourrissants et tantôt vénéneux, selon le moment où on les mange, représentent votre orgueil. Servez-vous en pour détruire, un par un, tous les parasites aquatiques que sont l'égoïsme, la vanité, la paresse et l'indifférence, que j'aperçois à travers la paroi de verre de votre conscience.

— Merci pour cette morale enfantine, me dit Diane. J'adore les paraboles...

Nous atteignîmes Shanghaï une semaine plus tard. La traversée avait produit son effet habituel : j'étais à nouveau follement amoureux. Le mal de Diane avait empiré ; elle souffrait désormais d'une très grave névrose.

Rien ne parvenait à détourner son esprit de ses préoccupations. Je n'avais pas réussi à l'en délivrer, ni à lui procurer ce coma mental ou psychique qu'elle désirait de tout son être et qu'elle avait cru atteindre avec mon aide.

Qu'allais-je pouvoir faire pour elle pendant les quelques jours qui précédaient notre séparation ?

Quelle étoile lui proposer, quel saint, quel objet rare, parfait, impérissable, capable de lui montrer ce que j'attendais d'elle et d'entraîner ainsi sa guérison ? Sous la forme d'un apologue, je lui avais fait toucher du doigt ses vices et le désordre de sa conscience. Il fallait lui mettre sous les yeux un objet parfait, quelque-chose qu'elle aurait envie de choisir pour idéal. Si j'échouais, ma tentative pour la guérir par les images serait vaine.

— Si je manque mon coup, pensai-je, et si je ne parviens pas cette fois à la convaincre, je la perds à jamais.

Dans cette ville des mauvais plaisirs qu'est Shang-haï, elle m'échappait dès le soir. Elle sortait danser sur le toit des hôtels européens, s'adonnait à la drogue que l'on vendait partout et passait ses après-midi à pleurer, le visage tourné vers le mur, dans son vaste lit de l'Astor House.

Un jour de grand et triste abandon, je fus tiré de ma sieste par un bruit. Un Chinois venait d'entrer dans ma chambre, comme ils le font tous, sans se faire annoncer. Il me salua, ouvrit sa robe et en sortit un paquet, enveloppé dans un numéro crasseux du *Times* de Shanghaï.

— Je sais que maître aime les choses très très bel-les, dit-il avec cette grimace qui est le sourire de

164

l'Orient — un sourire mercenaire. Je vous ai apporté ceci.

Dans la lumière de la pièce, que tamisaient les stores, l'objet qu'il me tendait faillit m'éblouir. On ne se trouve pas souvent, il faut le dire, devant un objet qui est un mélange de rien, de pure idée qui a pris forme sans en être écrasée ni diminuée. Imaginez une goutte d'eau pétrifiée : c'était un crâne, presque grandeur nature, taillé dans un seul bloc de cristal de roche, parfaitement poli. Les dents étaient figurées par un trait, le seul qui marquât ce pur diamant. Les orbites, loin d'être emplies d'ombre et de terreur, s'éclairaient d'une lueur plus limpide que celle qui brille au fond du plus vif regard. D'où que vînt la lumière, la tête de mort s'en nourrissait et paraissait la concentrer dans son cœur de cristal. Il semblait impossible qu'elle ne continuât pas à luire la nuit avec la même intensité car elle donnait l'impression de tirer d'elle-même sa lumière.

— Crâne magique, expliqua le Chinois. Excellent pour dire la bonne aventure. Très cher, très très cher. C'est signé : période de Kien Lung.

Je pris dans mes mains cet iceberg trouvé sous l'équateur. C'était exactement ce dont j'avais besoin pour ma démonstration. Sans même en demander le prix, je courus comme un forcené jusqu'à la chambre de Diane, bien décidé à tout vendre pour lui offrir ce sinistre cristal, si du moins elle le désirait, si elle comprenait ce que cet objet cherchait à lui dire.

J'entrai. Diane était allongée sur son lit. Quand elle vit le crâne débordant de lumière, elle s'écria :

— Qu'il est beau ? Est-il congelé sous cette forme ?

— Non, il est taillé dans le cristal, répondis-je. Et pour passer du concret à l'abstrait, vous pouvez voir ici comment le concept le plus lugubre, le symbole de notre fin dernière — cette pensée qui vous hante justement si souvent — peut devenir, par la grâce de l'art, quelque chose de tout à fait lumineux. Diane, je voudrais que votre cœur ressemble à cet objet : qu'il soit transparent et incorruptible. Alors, je serais sûr de vous guérir. Prenez ce crâne et gardez-le toujours dans votre chambre, oui, ayez-le sous les yeux. Le Chinois m'assure qu'il possède des propriétés magiques ; que l'on peut, par exemple, y lire l'avenir.

— Voyons un peu, dit Diane.

Elle s'assit sur son lit (Dieu, qu'elle était belle ainsi, d'une beauté inoubliable !) et prit le bloc de cristal à deux mains. Elle se pencha dessus et resta un long moment dans cette position...

— Diane, je vois qu'il vous plaît. Je vous supplie

d'accepter ce cadeau de ma part. Le ciel en soit loué, je suis enfin parvenu à vous intéresser !

Elle eut un geste de dénégation. Sans un mot, elle tourna son visage vers le mur.

Cette fois, je ne pus réprimer mon irritation et ce fut d'une voix courroucée que je m'exclamai :

— Vraiment, Diane, rien ne saurait vous satisfaire. Nul ne peut vous sauver. Vous avez raison : il vous est impossible de vivre. Vous êtes une enfant, mais vous n'avez pas d'âge. Vous rappelez-vous la phrase étrange et profonde de l'Ecclésiaste : « Maudit soit l'enfant de cent ans ! » ? Prenez garde de n'être cet enfant ! Pourquoi refusez-vous ce cristal magique ?

Diane tourna vers moi un visage blême, mouillé de larmes.

— Parce qu'en me penchant sur lui, je m'y suis vue...

— Oui... et alors... ?

Elle ajouta :

— Je m'y suis vue morte...

IX
L'île heureuse

Comment Tahiti enchanta deux générations
d'Écossais rigoristes et bien-pensants

J'appartiens à un clan qui, depuis plus de cinq siècles, est renommé dans toute l'Écosse pour l'austérité
de ses mœurs, son sens très strict du devoir et son
dévouement sans défaillance à la plus noble des causes. Les carreaux jaunes et violets de son tartan n'ont
manqué aucun des grands massacres calédoniens.
Lorsque la morale écossaise commença à se civiliser,
les activités passionnées des MacPerron, d'une nature
jusque-là sanguinaire, furent mises au service des
sciences, de la religion et de la bonne conduite. Mon
propre nom, sir Gordon MacPerron (on voudra bien
m'excuser si je parle ainsi de moi, mais il s'agit d'un

épisode de mon histoire personnelle) n'est pas tout à fait inconnu du grand public. Mes ouvrages, traitant des races sauvages, de la vie et des mœurs dans les îles du Pacifique, sont cités non seulement par les bibliographes allemands, mais aussi par de nombreux érudits du monde entier. Mon livre, *Les Plantes cryptogames sous l'équateur*, réédité l'année dernière du côté d'Oxford, se lit comme un roman ; quant à *Les Parasites de l'homme aux îles Marquises*, il restera très certainement, pendant de nombreuses années, l'ouvrage de référence faisant autorité dans les universités. Il serait donc tout à fait inutile de rappeler ici mon long périple à travers le Pacifique, entrepris voici vingt ans pour des raisons d'études et auquel la presse du monde entier accorda, à l'époque, une place importante. Une certaine connaissance des idiomes océaniens, mes recherches sur la physiologie des animaux inférieurs, mes qualifications de docteur en médecine, sans parler du rang prestigieux que j'occupais dans la vie publique, tout concourait à faire de moi, Sir Gordon MacPerron, M.D., M.A., C.V.O. *, etc., l'un de ces missionnaires scientifiques qui sont la gloire de l'Écosse. Je me contenterai, par conséquent, de m'attarder sur mon séjour dans les îles des

---

* Medicinae Doctor ; Master of Arts ; Commander of the Royal Victorian Order. (N.d.T.)

mers du Sud — sur la très regrettée île de Pâques et sur Tahiti. Si j'en use ainsi, c'est pour d'excellentes raisons — dont on reconnaîtra ultérieurement le bien-fondé.

Tout en recherchant la solitude toujours propice à la poursuite de la science, j'avais l'intention de profiter de ce voyage pour remplir un pieux devoir. En effet, un mien arrière-grand-oncle n'était autre que ce Cameron renommé qui, au XVIIIe siècle, avait accompagné le vaillant et infortuné explorateur que fut le capitaine Cook, lors de ses deux derniers voyages dans le Pacifique. Le nom de cet ancêtre était Oliver Mac-Perron. Grâce aux récits des voyages de Cook, que nous devons à la plume industrieuse de Clarke, son second, le monde entier n'ignore pas la façon dont périt l'illustre navigateur anglais — comment il fut trahi et assassiné, pour être ensuite dévoré par les sauvages des îles Sandwich. Les comptes rendus de ces événements sont fidèles en tous points, pourtant, j'y ai vainement cherché le nom de mon grand-oncle. A Perth, dans les archives du clan, on trouvait tous les détails concernant la studieuse jeunesse du grand homme : ses diplômes de l'université d'Edimbourg, les gages de ses premiers succès dans le domaine scientifique et mille autres preuves de la supériorité morale dont il jouissait sur ses contemporains. La dernière chose que l'on sût à son sujet, c'est qu'il s'était embarqué, en 1777, au mois de décembre, pour un long séjour aux Indes et dans les Amériques. Il ne semble pas possible qu'il ait été tué en même temps que Cook, car nulle part le nom de MacPerron n'apparaît sur la liste, soigneusement tenue à jour, où figurent les noms de tous ceux qui disparurent lors de cette expédition. Il est sûr, en revanche, qu'il ne se trouvait pas plus à bord du *Resolution* que du *Dauphin*, lorsque ces deux navires regagnèrent l'Angleterre. Il n'y avait donc plus le moindre espoir de retrouver la trace de cet ancêtre, orgueil du clan, l'un des hommes les plus savants et les plus estimés de son temps. Il avait dû rester, sans aucun doute, dans quelque contrée barbare, comme il en décrivait dans ses lettres, afin d'y porter bien haut le flambeau de la civilisation. Dans les notes qu'Oliver MacPerron a laissées et qui se trouvent toujours entre les mains de ma mère, il mentionne souvent Tahiti (qu'il appelle O'tahiti, erreur linguistique commune à tous les hommes de son temps) sur un tel ton et la décrit avec un enthousiasme si passionné que j'ai longtemps cru que cet apôtre de la science avait dû, sans conteste, glaner là-bas des succès assez remarquables. Plus je relisais ses notes, plus je me plongeais dans les récits des voyages du capitaine Cook, et plus j'étais

172

convaincu que mon grand-oncle s'était fixé définitivement à Tahiti. Sa dépouille n'ayant jamais reçu les honneurs dus à un homme de bien, je pris sur moi de m'acquitter du devoir sacré d'élever à la mémoire du Dr Oliver MacPerron un monument digne de sa vie apostolique et de son dévouement à la science. Je décidai de le faire au cours de cette expédition vers les îles des mers du Sud, pour laquelle je m'étais embarqué. Je résolus ainsi de faire escale à Tahiti.

La flore et la faune des archipels du Pacifique n'avaient plus aucun secret pour moi lorsque le petit steamer français sur lequel j'avais pris mon passage jeta l'ancre, un soir, alors que le crépuscule tombait sur les eaux paresseuses de Papeete, aussi noires que du caoutchouc liquide. Nous devions y attendre l'aube afin de franchir le récif de corail en toute sécurité. La terre était en vue depuis de longues heures et les montagnes de Tahiti, avec leurs crêtes dentelées qu'on aurait dit taillées à coups de hache, m'apparaissaient maintenant, à travers des nuages ensanglantés par le soleil couchant, ourlés de jaune et de violet, à l'image même des couleurs de notre tartan. Une violente émotion que je fus incapable de réprimer me saisit à l'idée qu'un membre de ma famille, un ancêtre direct dont le sang courait dans mes veines, dormait quelque part, là-bas, au pied de ces hautes montagnes.

Une brise légère qui, toute la nuit, avait caressé les jardins de l'île porta jusqu'à mes narines un insoutenable parfum de fleurs. A l'aube, des touffes de palmiers nous apparurent, et, sur les huttes plongées dans le sommeil, les langues vertes des bananiers. Les enfants, premiers levés, se mirent à siffler en notre honneur à travers des peaux de poisson ; certains exécutaient de nombreux plongeons et cabrioles, tandis que d'autres mangeaient du serpent. On mit à l'eau des pirogues taillées dans des troncs de sagoutiers et notre steamer fut bientôt environné par ces frêles embarcations qui manquaient à tout moment de chavirer sous le poids des mangues, des noix de coco et de ces légumes hérissés de pointes, en forme de calebasses, que ces peuples emplissent de graines de lotus. Des femmes nagèrent jusqu'à notre navire et grimpèrent sur le pont sans l'aide de personne. D'autres, arrivées en catamaran, se drapaient dans les étoffes qu'elles proposaient à notre convoitise, chacune étant tout à la fois vendeuse et étalage, marchande et, si je puis m'exprimer ainsi, marchandise. Et, comme les tissus qu'elles offraient étaient superbement brodés et vivement colorés — encore que ces coloris fussent obtenus grâce à des teintures allemandes —, mes compagnons de voyage eurent tôt fait de les dévaliser, ce qui eut pour effet de laisser ces jeunes filles à demi nues, couvertes seulement d'un vêtement d'herbes changé tous les jours, comme la lingerie d'une femme blanche, mais nettement moins coûteux.

On me transporta à terre dans un petit canot, avec plusieurs officiers et les quatre jeunes indigènes qui, les premières, avaient épuisé leur stock de tissus. Le savant prenant le pas sur l'homme, ce fut d'un œil tout scientifique que je pris note de leur teint pâle et clair et de leurs formes harmonieuses. Leur peau était ornée de tatouages ingénieux qui couvraient le corps entier et même le visage ; seules la plante des pieds et la paume des mains restaient vierges de toute décoration. Les motifs de ces ornements figuraient des totems et me faisaient songer aux dessins des Indiens, ainsi qu'à ceux qui figurent sur les vases rituels des Chinois. Leur grande importance scientifique m'incita à en reproduire quelques-uns et même à en calquer certains directement sur la peau. Les petites sauvageonnes voulurent bien se soumettre à mon caprice, instinctivement fières d'être ainsi enrôlées sous la bannière de la science. Elles me regardaient fixement, poussaient de petits cris et éclataient d'un rire spontané. Les officiers français mirent beaucoup de complaisance à m'aider dans mon travail. Il convient de préciser que tout cela se passait voici de nombreuses années ; je n'avais pas trente ans et Papeete n'était alors qu'un simple village et non le grand port qu'elle est devenue.

A cette époque, je m'étais déjà familiarisé avec les dialectes polynésiens et je fus en mesure de questionner les prêtres et les vieillards sur les hommes blancs qui avaient séjourné dans l'île par le passé. Malheureusement, ni leurs chants, ni leur folklore n'en avaient gardé la moindre trace. Sous les tropiques, tout glisse silencieusement dans l'oubli sans laisser derrière soi le plus infime souvenir. Il n'y a ni archives, ni cimetières ; là-bas, tout vit, comme la nature elle-même, au jour le jour et rien n'a de mémoire. Je consultai les documents français du port, mais pas un paragraphe ne se référait au Dr Oliver MacPerron, le célèbre Écossais. Tout ce que je pus découvrir furent quelques renseignements concernant une certaine étendue de territoire que mon ancêtre s'était souvent complu à décrire dans ses notes, avec une rigoureuse exactitude. Elle était située au nord-est de Papeete, à environ sept lieues de la côte. L'horizon qui s'offrit à mon regard me découvrit les mêmes gorges et ravins, les mêmes contours déchiquetés des chaînes de montagnes dans le lointain, la même brume qui s'abattait, chaque soir, le long du littoral. Les huttes que j'avais sous les yeux auraient pu être celles-là mêmes qu'il avait décrites sous le nom de « demeures aborigènes ». C'était là, à l'ombre des cocotiers, au milieu des fleurs éclatantes et des hibiscus roses, qu'aux heures chaudes de la journée, des serviteurs indigènes l'avaient éventé tandis qu'il s'absorbait dans son labeur. Pour cette raison, je décidai d'élever en ce lieu même un cénotaphe à la mémoire du saint homme.

Tout en travaillant à ce pieux monument, j'observais plusieurs petites filles indigènes qui semblaient batailler dans l'eau ; nul doute qu'elles ne ressemblassent fort à celles que mon grand-oncle avait connues ici même. Elles prirent l'habitude de m'apporter de l'eau dans leurs paumes fortement serrées l'une contre l'autre, pour en asperger le creux des lettres que j'avais gravées dans la pierre volcanique. L'inscription était la suivante :

A OLIVER MACPERRON
De Perth
MEMBRE DE L'EXPÉDITION
DU CAPITAINE COOK,
MORT POUR LA CAUSE DE LA
SCIENCE

Pour ces petites, ma pierre n'était qu'un monument dressé en l'honneur de quelque dieu mystérieux qui n'en était pas moins, en vérité, Oliver MacPerron.

Lorsque j'eus achevé mon travail, elles eurent, d'elles-mêmes, l'idée de confectionner une couronne de fleurs pour le décorer, car, d'instinct, ces enfants de la nature veulent tout embellir. Au sortir du bain, aussi luisantes que si l'eau eût formé à la surface de leur peau une pellicule d'huile, elles tressaient des guirlandes de fleurs, accroupies près de moi dans l'herbe, et se laissaient sécher par les rayons du soleil. Le soir, au son de la grosse caisse et des cymbales, elles dansaient pour moi, prolongeant leurs réjouissances fort avant dans la nuit. Je songeai que l'âme de mon grand-oncle, dont je sentais parmi nous la présence, devait prendre plaisir à contempler ces richesses d'un art populaire et je retournai souvent en ce lieu, invitant mes petites amies à continuer, pour mon bonheur, leurs divertissements. Ce fut ainsi, par un pur effort de volonté et certainement pas parce que j'en tirais le moindre plaisir, que je fus enfin capable de supporter l'odeur suffocante des jasmins qui fleurissaient en grappes épaisses sur toutes les huttes alentour.

Cependant, la période que j'avais assignée à mon séjour aux antipodes était depuis longtemps révolue. Un sentiment de pieuse dévotion, qui ne cessait de croître en moi, semblait me clouer sur place et lier mon sort à celui de mon cher grand-oncle. Mes études étaient interrompues, mes recherches scientifiques totalement abandonnées et je me sentais succomber, moi que l'on s'attendait à voir remplir le rôle de futur grand homme de la famille, à une délicieuse torpeur, à une indolence parfumée qui s'infiltrait dans tout mon être comme un subtil poison. Finalement, une lettre de mes parents arriva d'Écosse pour m'enjoindre de rentrer, avec une telle insistance que je parvins à m'arracher à cet endroit sur lequel le souvenir de mon ancêtre avait jeté un charme si puissant. Je ne partis point, cependant, sans avoir prié mes petites amies de continuer à l'honorer par leurs danses, leurs offrandes fleuries et leurs jeux.

Vingt ans ont passé depuis et les scènes que je viens de décrire étaient presque effacées de ma mémoire, lorsqu'un récent article de presse les a fait resurgir sous des couleurs beaucoup plus vives, éclatant comme un coup de tonnerre dans le ciel sévère des annales de la famille MacPerron, m'ouvrant les yeux sur mon passé et sur le nom dont j'avais hérité. A ce qu'il semble, un rat de bibliothèque obscur et sans scrupules, ayant décidé de retracer l'histoire de l'illustre compagnon du capitaine Cook, découvrit parmi les papiers de Clarke, que l'on peut consulter au British Museum, un memorandum concernant le voyage et resté inédit jusque-là, car les précédents compilateurs avaient, sans qu'on sût pourquoi, omis d'en faire usage. *The Times Literary Supplement* reproduisit quelques extraits de ce document sur lesquels je tombai par hasard, un jour d'été à Perth. On verra sans peine, d'après ce qui suit, qu'il concernait mon noble ancêtre. Voici un bref *résumé* * de son contenu :

10 décembre 177-. Un déplorable incident retarde notre départ d'O'tahiti. Dans la nuit du huit au neuf, deux jeunes soldats de notre équipage ont déserté notre bord, avec la complicité de la population indienne *(sic)*. Ces Blancs qui ont des femmes sur l'île ne sont pas des O'tahitiens. Par ailleurs, ils se sont engagés par contrat à servir sur notre navire pour le voyage du retour par le passage du Nord-Ouest dont l'Amirauté britannique a ordonné au capitaine Cook de dresser la carte. Cette désertion sera punie de la manière habituelle et les deux coupables doivent être mis aux fers.

11 décembre. Nous avons pris plusieurs indigènes en otage. Ils nous ont remis l'un des fugitifs. Le capitaine

* En français dans le texte. (N.d.T.)

Cook, que nous avons avisé de cette affaire par porte-voix, donne l'ordre de lever l'ancre à bord du *Resolution* ; il a l'intention de profiter d'une brise qui s'est levée pour sortir de la baie ; il se dirige vers le nord où son devoir l'appelle. Il nous signifie de le suivre dès que l'autre déserteur aura été capturé, ce qui ne saurait tarder. J'ai fait alterner, auprès des indigènes, les menaces et les promesses de cadeaux, mais rien n'y a fait ; le deuxième Blanc reste introuvable. Courroucé d'avoir été joué de la sorte, j'ai moi aussi donné l'ordre d'appareiller. Soutenu par les savants de notre expédition, j'ai harangué l'équipage du navire réuni pour l'occasion, flétrissant le traître, avec toute la férocité qu'il méritait. Le déserteur captif a été enfermé à fond de cale.

12 décembre. Nous sommes sortis de la baie, mais la terre est toujours en vue. Soudain deux hommes de mon équipage sortent du rang pour s'approcher de moi ; ils constituent une délégation chargée de me demander au nom de leurs camarades de virer de bord et de faire voile sur Papeete, car ils veulent partir à la recherche de leur compagnon manquant. Je refuse d'accéder à leur requête. Bientôt, du gaillard d'avant, me parviennent des murmures, puis de sonores imprécations et finalement des cris : « Vive O'tahiti ! Au diable le passage du Nord-Ouest ! » Une mutinerie va-t-elle éclater à bord du *Dauphin* ? Le *Resolution* n'est plus qu'un petit point qui disparaît à l'horizon. Ce que je pressentais depuis quelque temps déjà semble soudain se confirmer. Indifférents à la gloire de la Grande-Bretagne, gorgés des délices de Capoue, plusieurs membres de mon équipage désirent, comme dans l'histoire de Circé, regagner l'île des plaisirs. C'est sur ces entrefaites que le Dr Oliver MacPerron vient me trouver. Ce grand savant, le plus renommé de notre aréopage d'érudits, me paraît en proie à une émotion qui me surprend et me scandalise chez un homme aussi grave. Car il parle non seulement au nom des six marins qui font cause commune avec les rebelles et veulent à présent retourner à O'tahiti pour y prendre femme eux aussi, mais en son nom propre. « Moi qui vous parle, mon cher Clarke, me dit le docteur que je trouve fort pâle, je m'engage personnellement à ne pas abandonner ces jeunes gens. Je veillerai sur eux et leurs compagnes, tout en m'efforçant, par la même occasion, d'apprendre aux Indiens le peu de choses que je sais. Qu'importent ma patrie, mon Écosse, ma famille, quand je me vois offrir la possiblité d'entreprendre une tâche aussi noble que celle-ci ? Je détournerai ces bons sauvages de leurs superstitions puériles et je ferai, de ce peuple paresseux et indolent, des artisans industrieux pour la plus grande gloire du Seigneur, de la science et du roi George ! »

A peine MacPerron a-t-il achevé son petit discours qu'on me lance de nouveaux cris de « Vive O'tahiti ! » depuis l'avant du navire. Le Dr MacPerron me prend la main et tout l'équipage tombe à genoux. Je comprends maintenant que la faction dont j'ai pris la tête n'est pas la plus forte. Le capitaine Cook est trop loin désormais pour me venir en aide. Il ne me servirait à rien, par ailleurs, de brûler la cervelle de l'Écossais. Je feins donc de me rendre aux exigences des mutins. « Après tout, leur dis-je, c'est une grande expérience en faveur des progrès de la civilisation que vous allez tenter ; et le Dr MacPerron, l'un des membres les plus éminents de la faculté de médecine, vous servira de guide. » C'est ainsi, la mort dans l'âme, que je donne l'ordre qu'ils réclament si ardemment.

13 décembre. Cette nuit, le *Dauphin* mouille à nouveau dans les eaux de Papeete. Il y est accueilli par une centaine de pirogues, décorées et illuminées de lanternes, et salué par la population en liesse ; pour l'essentiel, ce sont des femmes qui dansent sur le rivage, accompagnées par des flûtes. Au milieu de la frénésie qui s'est emparée de tous, je fais libérer le premier déserteur qu'une embarcation ramène à terre où son camarade l'attend. Toutefois, l'incident qui met un comble à ma fureur est de voir le vieux Dr MacPerron, cet « honorable » Écossais, porté en triomphe sur les épaules de la populace, tandis qu'il chante *Annie Laurie* comme un écolier. Comment décrire la stupeur qui me cloue sur place, en voyant courir vers lui, depuis la « demeure aborigène » qu'il habitait sous prétexte d'étudier la science, un essaim de jeunes filles qui se jettent dans les bras de l'austère savant et le caressent comme s'il était un précieux trésor enfin récupéré ? Ainsi, ce digne membre de tant d'académies étrangères a délaissé la voie du devoir, trahi la science, pour se complaire, aux antipodes de la civilisation, dans la volupté effrénée qui est la règle sur cette île trop heureuse.

Ce qui suivait ce récit du dénommé Clarke ne m'intéressait pas, car il n'y était plus question de mon grand-oncle. Au début, j'éprouvai le cuisant désir d'étrangler ce calomniateur qui me lançait ses accusations mensongères à travers les siècles, en jetant ainsi sur un membre de ma famille le soupçon d'une telle hypocrisie et d'une telle inconduite. Puis, ayant réfléchi à toute cette affaire, je me calmai. L'apparente exactitude du récit de Clarke, si fidèle et si fiable sur tous les autres points, rendait sa mise en doute

— sur ce seul point — bien malaisée. D'ailleurs, quel intérêt aurait pu le pousser à mentir ? Peu à peu, je me persuadai de la véracité de ses dires et dus renoncer à toutes mes objections concernant la faiblesse à laquelle avait succombé mon grand-oncle. Ainsi, voilà quelle avait été la conduite humaine, bien trop humaine hélas, de l'homme que j'avais depuis mon enfance entendu désigner comme un grand et brillant exemple ! Mon esprit se tourna alors vers mon propre séjour à Tahiti. Par la pensée, je revis cette île, avec ses cocotiers bleus, les roses des marais peuplés de crapauds ; je crus sentir encore la caressante douceur des soirs et la fraîcheur de ces jeunes filles parées de fleurs... N'avais-je point été moi-même sensible à leur charme ? Étrange aventure, que la destinée — mais était-ce bien elle ? — avait fait se répéter dans la même famille, à cent cinquante ans de distance ! Oui, j'avais été moi aussi victime de ces mêmes enchantements contre lesquels mon grand-oncle n'avait pas eu la force de lutter, sous les mêmes fleurs éclatantes, les mêmes hibiscus, jadis témoins de sa honte... Plus heureux que lui, je suis revenu et j'ai revu les monts Grampian et les beaux lacs calédoniens. Pourtant, aujourd'hui encore, lorsque je donne mes cours de médecine tropicale à l'université d'Edimbourg, installé à cette chaire qu'occupait mon ancêtre, je me

185

East India and company

redis parfois, à voix très basse : parmi les maladies que l'on peut contracter dans ces pays lointains, je ne devrais pas passer sous silence la plus dangereuse de toutes, celle que les romanciers dans leurs livres appellent le bonheur...

X
Le trésor dans la gueule
du dragon

L'histoire que voici remonte à l'époque de la guerre, avant que le jeune empereur ne soit exilé à Tien-Tsin où il se trouve aujourd'hui. Le président Hou jouissait alors à Pékin d'une éphémère suprématie. Dans le nord de la Chine, les présidents se succédaient en effet à un rythme accéléré, leurs mandats ne durant jamais plus de quelques mois ; cela dit, personne n'attachait grande importance aux présidents. Ils n'obligeaient en rien les soldats à se modérer dans leurs pillages, pas plus qu'ils n'incitaient les diplomates à réduire leur consommation de cocktails. Quant à leurs allées et venues, elles ne contribuaient guère à diminuer le nombre de cercueils que les charpentiers avaient à polir. Quand vint l'automne, et que chacun émergea de la retraite où il s'était consacré, durant l'été, aux joies d'une existence campagnarde, il se forma, parmi les Européens du quartier des Légations, dont j'étais, une sorte de clique qui regroupait des attachés consulaires et diplomatiques, des employés de banque et plusieurs jeunes filles ou jeunes femmes qui ne jouaient pas au bridge et ne collectionnaient pas les fausses antiquités Ming. Surexcités par la sécheresse automnale qui prévaut en Chine du Nord, jamais couchés, toujours avides d'entamer quelque nouveau jeu, prêts à n'importe quelle frasque, pourvu qu'elle fût suffisamment originale, nous formions une espèce de « tribunal » qui n'était pas sans rappeler la Cour des clercs du procureur dans l'ancien parlement de Paris ; quelque peu chahuteurs et parfaitement insouciants, nullement disposés à travailler, nous étions rarement rentrés chez nous avant le lever du soleil. Chaque jour, l'un ou l'autre membre de notre bande imaginait une manière nouvelle de s'amuser, lançait un engouement inédit, donnait le ton de la journée que les autres adoptaient avec enthousiasme. Le plus audacieux d'entre nous était Armand de Mussegros, fils du ministre français. Grand joueur et grand buveur, ayant mille fois risqué sa vie en sautant à cheval de dangereux obstacles, il était réputé, pour sa chance insolente de parieur, sur les champs de courses de Pékin ou Shanghaï, et connu pour son excellente humeur et sa désinvolture gracieuse en toutes circonstances. Né à Pékin, il parlait couramment le chinois. Lea Mallry, de la Légation britannique, et Clotilde van Meulen, la beauté américaine du bureau des douanes, ne juraient que par lui, l'une en blond, l'autre en brun — ces deux expressions de la féminité épanouie.

Armand de Mussegros avait rapporté d'un récent voyage en Europe mille nouveautés destinées à égayer la vie à Pékin pour de nombreuses semaines au moins : des gramophones miniatures, de nouvelles expressions d'argot, des costumes époustouflants, les toutes dernières automobiles et des jeux dont personne n'avait jamais entendu parler. Aujourd'hui, tout le monde connaît la « chasse au trésor », mais à cette époque, c'était un divertissement nouveau. Une somme d'argent est collectée, cousue dans un mouchoir et cachée par le responsable du jeu dans un endroit inconnu des autres. Le jeu consiste à trouver et à suivre la piste afin de découvrir la cachette, le premier arrivé empochant le magot. Pour que ce jeu soit le plus excitant possible, il convient de dissimuler le trésor dans un endroit improbable, par exemple sur une tierce personne qui n'a pas la moindre idée de ce qui se passe. On met les joueurs sur la voie grâce à une série d'instructions écrites, cachées elles aussi en divers lieux, difficiles à trouver, et qui, comme dans *L'Ile au trésor*, indiquent la marche à suivre d'une étape à l'autre. Dès que Mussegros eut mis ce jeu à la mode à Pékin, il y fit véritablement fureur. Tous les soirs, c'étaient de folles pérégrinations à travers la ville, des visites impromptues, des fouilles, des pique-niques improvisés, des détachements entiers de jeunes gens en shorts et pantalons de golf, le nez chaussé de lunettes d'écaille, surgissant brusquement des lieux où ils étaient embusqués, s'entassant dans des automobiles, organisant des raids en *rickshaw* sur la ville chinoise, battant la campagne à cheval au milieu des cris, des rires et des hennissements, laissant derrière eux un sillage de bouteilles de champagne vides et poursuivis par les imprécations des *ma-fus*. Les révolutions, les guerres civiles, les exécutions — rien de tout cela ne nous importait. Nous prenions notre plaisir au milieu de violents soulèvements, exactement comme le paysan chinois vaque à son labeur tandis que la bataille fait rage autour de lui.

La chasse au trésor que je vais décrire nous réserva plusieurs surprises ; elle est restée fameuse à Pékin. Les conspirateurs s'étaient retrouvés dans le Temple

Le trésor dans la gueule du dragon

Céleste, à l'heure du cocktail. Sous le portail rouge ouvrant sur l'artère principale de la ville (une rue encombrée de charrettes qui avancent en cahotant sur leurs roues grinçantes, de cortèges de mariages, d'ânes, de Ford, d'enterrements, de dromadaires), on avait laissé un certain nombre d'automobiles américaines et plusieurs chevaux aux harnais desserrés, placés sous la surveillance de palefreniers. Dans l'allée cavalière, par groupes de deux ou trois, les Européens piquèrent des deux et se lancèrent dans des galops qui faisaient trembler la terre desséchée sous les sabots de leurs montures. En cette fin d'été torride, la terre était cuite jusque sous les arbres et dans les sentiers ombreux. Des pavillons roses aux toits de tuiles vernissées alternaient avec des portions de murs éboulés, des jardins secrets ; ceux-ci, striés comme des labyrinthes par des haies odorantes, divisés en compartiments, pavés de dalles, coupés de ruisseaux et de pièces d'eau, n'étaient pas sans rappeler l'Alcazar de Séville. La cavalcade déboucha enfin dans de vastes clairières, sur l'emplacement d'anciens temples depuis longtemps disparus et dont ne subsistaient que les fondations de marbre et quelques passages souterrains, recouverts de mousse verdâtre, qui se perdaient dans des régions plus profondes encore. Là, les chevaux ayant été attachés à des tamariniers, notre groupe se remit à comploter sous l'égide d'Armand de Mussegros. Lea Mallry, blonde et frêle, vêtue à l'orientale pour faire contraste avec son visage nordique, faisait songer à ces héroïnes des toiles de Rackham et Dulac, si parfaitement britanniques dans un décor des *Mille et Une Nuits.* Clotilde van Meulen était une brunette tirant sur le roux, désenchantée et pessimiste ; mais tout le monde l'adorait, cependant, pour la façon dont elle disait : « Je ne sais vraiment pas comment plaire à qui que ce soit. » A cheval, elle avait belle allure et elle n'était jamais à la traîne lorsqu'il s'agissait de se lancer dans quelque frivolité.

— Tout ce que je puis vous dire, déclara Armand de Mussegros en tapotant ses bottes avec sa cravache, c'est que la date est fixée à cette nuit. Le trésor se monte à mille deux cents dollars mexicains. Cette fois, j'ai « tapé » la Banque russo-asiatique et j'ai mis à contribution M. Kennedy, de la Banque de Shanghaï. Cet argent, mes amis, est déjà dissimulé à l'endroit convenu où il attend que votre habileté, la finesse de vos déductions, votre talent pour les escalades et le cambriolage, vous permettent de le découvrir et de vous l'approprier. Le départ sera donné après dîner, cette nuit, à une heure, à l'entrée du Club de Pékin. En dépit de tous les obstacles jetés ces jours-ci en travers de notre route par les malheureux Chinois, le trésor, si tout va bien, devrait être localisé en deux heures. Ne me demandez plus rien, car je ne sais rien d'autre que ce que je viens de vous dire. D'ailleurs, dans la vie comme dans les jeux, j'ai toujours préféré faire partie de ceux qui chassent les trésors plutôt que d'être parmi ceux qui les possèdent, ne fût-ce que momentanément.

— On m'a dit, en confidence, que nous avions intérêt à nous préparer à une expédition sortant tout à fait de l'ordinaire. C'est Willy Orkowsky qui a caché l'argent cette fois, et ces Slaves ne manquent pas d'imagination, déclara Clotilde van Meulen, tout en agitant le *shaker* nickelé au bout de ses bras bien galbés.

Ces « obstacles jetés en travers de notre route par les malheureux Chinois », auxquels Armand de Mussegros venait de faire allusion, n'étaient rien de moins qu'une bataille sur le point d'opposer, dans les faubourgs de Pékin, les miliciens de factions chinoises ennemies. Depuis plusieurs jours, divers symptômes avaient laissé prévoir qu'un conflit approchait ; en particulier la fuite, hors du quartier tartare, du président Hou, parti se réfugier, avec sa collection de vases monochromes, dans la retraite qu'il s'était ménagée deux jours auparavant dans les caves de la Légation japonaise.

Le soir même, à l'heure prévue, notre joyeuse bande se réunit en force sur la route goudronnée qui franchit la poterne du quartier des Légations et de là mène au Grand-Hotel via les fortifications. Ceux qui se rassemblèrent devant le Club de Pékin étaient pour la plupart de nationalités américaine, britannique, italienne et française. Respectant ses engagements, Willy Orkowsky, le dandy de la Banque russo-asiatique, un Russe très casse-cou qui faisait dans l'humour caustique, sortit du Club, et, comme il l'avait déjà fait tant de fois auparavant, remit à Mussegros, chef des chasseurs de trésor, un morceau de papier plié et scellé.

— Voici vos instructions, annonça-t-il. La chasse aux indices peut maintenant commencer. Je vous souhaite à tous de ne pas être obligés de passer une nuit blanche (il rit en disant cela), bien que tout, ou presque, soit possible. Pour ma part, Mussegros, je vous parie une douzaine de bouteilles de champagne que vous reviendrez bredouilles.

Le pli fut ouvert ; il contenait le texte suivant :

« Allez visiter, sans tarder, les peintures chinoises

de W.F. Benserade. Demandez-lui de vous montrer tout particulièrement celle des deux oies blanches, signée Wan-Kou-Siang. Vous apprendrez alors que le trésor est caché dans la gueule du dragon. »

Durant les quelques heures qui s'étaient écoulées entre la rencontre de notre bande au Temple Céleste et sa seconde réunion, d'étranges événements s'étaient déroulés ailleurs. Nous ne nous étions pourtant guère souciés de cela durant notre dîner fort animé et généreusement arrosé de grands crus. En deux mots, le maréchal Tchai et son ennemi juré, le général Atchi-Toung, avaient mis à l'épreuve la vaillance de leurs forces inégales dans les faubourgs de Pékin. Depuis le coucher du soleil, un combat faisait rage et les Chinois de la ville étaient en proie à la panique. Heureusement que nous en avions entendu parler, car nous allions avoir l'occasion d'observer les troubles de nos propres yeux quelques heures plus tard.

La lune était lumineuse. Lorsque nous nous mîmes en route, qui en *rickshaw*, qui en automobile, dans les rues plongées dans l'obscurité, la poussière jaune de l'après-midi était retombée. Nous franchîmes le canal de Jade et contournâmes la Montagne de Charbon pour atteindre les environs de la cathédrale catholique. C'était là qu'habitait W.F. Benserade. Il s'agissait

195

d'un vieil original, ultra-conservateur, dont la peau laissait deviner un soupçon de jaune ; homme de bien au demeurant, qui jouissait, grâce à ses collections, d'un grand prestige parmi les Légations. Il ne recevait presque pas et vivait à la chinoise, entouré de « boys ». Armand de Mussegros, qui avait pris le commandement, sonna à sa porte. Le portier, effrayé de voir tant de monde entassé dans l'étroite allée à cette heure indue, se contenta d'entrebâiller la porte. Son maître était allé se coucher. Cependant, en réponse au tintamarre de nos Klaxon et de nos cornes, il finit par quitter son lit et se présenta sur le seuil en robe de chambre, aveuglé par l'éclat de nos phares. Il fut accueilli par des cris et des hourras. Lea Mallry lui suggéra, en lui offrant ses sourires les plus enjôleurs, de faire sauter quelques bouchons de champagne à notre intention. Benserade, sensible à ses charmes, ouvrit sa maison à la foule. Très vite, grâce à l'incroyable diligence des serviteurs chinois, un souper nous fut servi auquel nous fîmes amplement honneur.

— Et maintenant, nous chuchota Armand de Mussegros, au travail !

— Avant de vous quitter, mon cher Benserade, dit Lea Mallry, puis-je vous demander une faveur ? J'aimerais revoir encore une fois ces deux oies blanches parmi les nymphes — vous savez, cette exquise peinture Ming que vous m'avez montrée un jour.

Tel le diable brandissant sa fourche, Benserade tenait déjà son bambou de collectionneur et déroulait le long parchemin. Alors qu'il tendait le cou pour accrocher l'œuvre à un clou fixé très haut dans le mur, un petit morceau de papier plié jaillit du rouleau qui se déployait et tomba jusqu'à terre ; vif comme l'éclair, Mussegros s'en empara et le mit dans sa poche.

Tout en nous extasiant poliment devant les oies de Wan-Kou-Siang, nous échangions des signes trahissant notre impatience de nous remettre en chasse. Finalement, nous parvînmes à filer.

A peine sorti de la maison, Armand de Mussegros déplia le papier et lut à la lumière des phares :

« Après les peintures, les céramiques. Allez à présent demander à Paul de vous montrer ses monochromes violets signés Kien-Lung. »

Il nous fallut quelques minutes seulement pour aller frapper à la porte du célèbre antiquaire qui habitait le même quartier. Paul était en train de dîner, entouré de ses fils et de ses employés, tous assis autour d'une table patriarcale, car un négociant chinois traite ses vendeurs comme s'ils faisaient partie de la famille. Il s'inclina courtoisement et nous offrit du thé, malgré l'envie qu'il avait de nous envoyer à tous les diables. Il ne le fit point, cependant, reconnaissant dans nos rangs des fils et filles de certains de ses meilleurs clients. Il accéda même à notre requête et ouvrit un coffre laqué pour nous montrer ses trésors violets.

— En avez-vous qui soient signés ? demanda Mussegros.

— Oui, monsieur. Les deux coupes que voici portent sur le fond et à l'arrière le monogramme de l'empereur Kien-Lung.

Aussitôt, nous nous en emparâmes. Quelle main mystérieuse, fidèle au pacte conclu lors de notre rendez-vous, avait déposé là le petit bout de papier, plié en quatre, qui tomba d'une des deux coupes ? Ce nouvel indice nous expédia, à la façon du jeu de l'oie, chez les religieuses irlandaises. Nous n'eûmes pas besoin, cependant, de réveiller ces pieuses personnes (il était à présent deux heures du matin), car, attachées à la porte du couvent, des instructions écrites nous attendaient qui nous aiguillèrent vers l'hôtel des Wagons-Lits, chambre vingt-huit. Il s'agissait des appartements de l'attaché commercial britannique, un *gentleman* d'un certain âge, éminemment respectable, que tout le monde aurait cru homme à s'être endormi dans son lit dès neuf heures du soir, mais dont nous trouvâmes la couche vide à trois heures du matin. Une note prophétique était épinglée à son oreiller :

« Reprenez haleine, car la dernière épreuve va être dure. Vous allez maintenant vous heurter à des difficultés. Dans la rue de l'Hirondelle se trouve une certaine maison dont le maître est absent. Il ne sera pas facile de vous en faire ouvrir la porte, mais une fois à l'intérieur, rendez-vous directement dans le salon où vous trouverez le dragon rouge. Courage ! Le trésor est dans la gueule du dragon. »

— Bon Dieu ! s'exclama Mussegros. Voilà ce qui s'appelle jouer ! Le dragon rouge ! Cet Orkowsky a un toupet de tous les diables. Cette maison, c'est la propre résidence du président ! Oui, le président Hou — celui-là même qui s'est réfugié à la Légation japonaise. Je connais bien son salon où j'ai été souvent reçu. Orkowsky et moi avons dîné là-bas pas plus tard que la semaine dernière et le dragon rouge en question nous a fait rire, parce que nous trouvions qu'il ressemblait à Roosevelt. En route pour la rue de l'Hirondelle !

Comme nous nous enfoncions dans la ville chinoise, en cette fin de nuit, nous pûmes constater que la panique s'était largement propagée. Il nous parut bientôt douteux que nous pussions atteindre la demeure du président — ou plutôt celle de son épouse, puisque lui-même avait décampé, se souvenant juste à temps que le quartier des Légations était inviolable. Dans sa hâte de choisir entre un suicide honorable et les avantages de la fuite, Hou n'avait certes pas perdu trop de temps à se préoccuper du sort de sa famille, à laquelle, à l'exception des membres illégitimes, il n'était pas attaché par les liens du cœur. Le maréchal Tchaï, nous annonça-t-on, venait tout juste de mettre en déroute les forces du gouvernement et occupait depuis deux heures cette partie de Pékin. Il était désormais virtuellement maître de la ville. Soucieux de garder quelques otages, il avait entouré la résidence du président d'un imposant cordon de soldats et de cavaliers mongols qui avaient tout l'air d'une escouade de geôliers.

Toutefois, Armand de Mussegros n'était pas homme à se laisser arrêter par une bagatelle de ce genre. Il présenta ses papiers et se fit conduire auprès du maréchal, auquel il confia, en chinois, son désir de pénétrer chez le président, le tout accompli avec autant de pompe et de panache que s'il eût été chargé d'une importante mission diplomatique. Il avança comme prétexte à notre visite les besoins d'une enquête officielle. Le maréchal sourit, mais sans émettre d'opinion, de peur de perdre la face ; entre-temps, de nombreux courriers, espions et contre-espions étaient expédiés dans toutes les directions pour s'assurer de l'identité de ces jeunes Européens. On nous offrit du thé amer avec beaucoup de cérémonie. Commença alors un entretien excessivement courtois, interminable, incroyablement patient, qui dura jusqu'à l'aube. Les dames montraient quelques signes de lassitude et Lea Mallry avait épuisé sa provision de poudre de riz, mais Mussegros continuait avec ténacité et persévérance. Il faisait jour, les cigales commençaient leur musique, le maréchal bâilla. Et céda : la résidence du président fut ouverte aux chasseurs de trésor. Abandonnant nos trois automobiles à la porte, nous pénétrâmes dans les cours intérieures de la maison par des portes arrondies. Les agents de police furent intimidés, les gardes s'écartèrent et leurs armes, aussi hétéroclites qu'extraordinaires, cessèrent de nous menacer.

A l'intérieur, de nombreux domestiques couraient en tous sens, poursuivis par des oies et des pintades. Lancés sur les traces de notre trésor, nous gagnâmes la première salle à manger, puis un salon que Mussegros connaissait bien. C'était là. Déjà, un certain nombre de maraudeurs, déguisés en policiers, avaient entrepris d'emporter les meubles... Hélas, ils avaient commencé par le dragon d'émail rouge. Ils avaient fait main basse sur notre trésor ! Nous arrivions trop tard.

— On nous a dévalisés ! s'écria Mussegros.

Au moment où nous nous apprêtions à quitter cette pièce qui tenait désormais davantage du hall de gare que du salon chinois, le portrait en pied du président, qui en ornait l'une des extrémités, fut ébranlé par une forte poussée, exercée incontestablement depuis l'arrière, et se rabattit comme un volet. A travers la fenêtre improvisée ainsi ouverte dans le mur, une cour s'offrit à nos regards dans la lumière du matin. Une véritable mobilisation de la maisonnée présidentielle s'y déroulait, dont nul d'entre nous n'oublierait de sitôt le spectacle. En tête de la procession marchait une vieille dame de haut rang, au teint verdâtre, qui avançait appuyée sur une canne noire. Elle était entourée de ses filles, en vestes de couleurs vives, et suivie des concubines en soie prune, puis de toute la hiérarchie des serviteurs, garçons d'écurie, filles de cuisine, confiseurs, médecins et porteurs.

— Regardez, voilà la femme du président ! s'écria Clotilde van Meulen.

Derrière elle, se détachant sur le reste du groupe, un gigantesque Chinois, torse nu et la tête coiffée d'un melon, mais d'un melon de l'espèce végétale, portait dans ses bras un enfant couvert de babioles d'argent.

— Et voici, sans l'ombre d'un doute, le plus jeune fils du président !

— Je la reconnais parfaitement, déclara Mussegros. Elle a dîné à la Légation il y a environ un mois.

A la vue de l'épouse du président, la foule qui s'était rassemblée sur les murs et dans les arbres, apparemment désireuse d'exprimer son allégeance au maréchal et de s'attirer ainsi ses bonnes grâces, laissa libre cours à son hostilité, en lançant des pierres et des insultes.

— S'ils mettent le feu à la maison, nous allons être pris au piège et grillés vifs, fit remarquer Lea.

— Elle a raison, renchérit Clotilde. C'est bien dommage pour le trésor mais il est grand temps de partir.

Nous battîmes en retraite jusqu'à la rue où nous attendaient les trois voitures de la chasse au trésor. Hélas, à notre arrivée elles étaient déjà occupées. En effet, ayant appris que ces véhicules appartenaient à des Européens et devaient regagner le quartier des Légations, la femme du président et toute sa suite, anxieuses d'aller rejoindre leur seigneur et maître là où il se terrait, à l'abri de la Légation japonaise, les avaient prises d'assaut, profitant du tumulte général. Nous pûmes finalement démarrer, après avoir éjecté les grappes humaines solidement installées sur nos marchepieds. Telles quelles, nos automobiles étaient déjà trois fois trop chargées. Mais que faire de toutes ces ravissantes concubines, sans parler de madame la présidente qui dissimulait son visage derrière un éventail ? Ne pouvant décemment les abandonner en pleine rue, force nous fut de les emmener avec nous. Le maréchal dormait et nous ne troublâmes point son repos. Les gardes, s'imaginant que les Européens avaient des ordres spéciaux, présentèrent les armes et nous laissèrent passer avec les honneurs militaires. La femme du président, le visage étroitement serré entre deux compresses de soie verte censées calmer un violent mal de tête, ferma les yeux et se laissa conduire. Cette extravagante procession traversa Pékin à l'aube et finit par arriver au quartier des Légations. En raison des troubles, les grilles étaient fermées et gardées. Nous descendîmes de voiture pour nous les faire ouvrir. Tout à coup, Armand de Mussegros, qui avait contourné les automobiles, poussa une exclamation. Tout le monde se retourna.

— Regardez ! s'écria-t-il. Sur la malle arrière !

Non contentes de se faire conduire jusqu'à un endroit sûr, l'épouse du président et sa suite avaient attaché à l'arrière de nos voitures et aux porte-bagages toutes sortes d'objets de valeur, parmi lesquels Mussegros venait de découvrir un gros dragon d'émail rouge, celui-là même qui avait disparu du salon présidentiel. On eût dit quelque chat qui, s'étant pelotonné sur la malle arrière, y serait mort de froid. Lea plongea la main dans sa gueule et en ramena le trésor, cousu dans un mouchoir. Nous le partageâmes entre nous.

— C'est bien la première fois, conclut Mussegros, qu'en passant une nuit blanche, je n'ai pas perdu d'argent, mais que j'en ai gagné ! A la santé du président Hou !

EAST INDIA AND COMPANY

Texte anglais

I
Archie Spencer

A tale of the Orient in which
a dealer in wild animals is
miraculously rescued

Of all the steamer lines that cross the Pacific Ocean, but travelling more often for business than for pleasure, I prefer the ones that take the shortest route. So I am usually taking the northern passage through the polar fogs which span the greatest oceanic depths in the whole world, although the trip is a gloomy one; the « Empress » packets have to virtually feel their way over a course beset by many dangers and their fog horns are wailing almost ceaselessly for twelve sunless days. The endless line of the horizon is only rarely broken by the spout of a whale on its swift course through those boundless waters. But it is the route of those who are in a hurry and want to save time in reaching the East as quickly as possible — those who are of the regrettable, but typical western temper, which leads people to believe that life is all too short. On one of those ships, I met Archie Spencer, American, dealer in wild animals. I was on my way for a year's stay in Asia; Spencer's sojourn was limited to eight days; it was his sixteenth trip. His business consisted in finding and acquiring beasts and birds inhabiting the jungle, the desert or the polar fields and bringing them back to the

United States for the Zoological Societies, Institutes and what not. He would set out on his quest with a list of ferocious varmints to be procured and would go about it as calmly as other would buy their groceries. When the boat landed in Shanghai, he would dispatch a stack of telegrams to his many agents and then hurry on to Singapore, the centre of his activities.

Singapore, — which means the City of the Tiger in Malay language, — is the greatest market in the world for wild animals. Its situation at the crossroads between the East and the West, it forms a veritable knot, tying those two extremes together. It is like a huge public square, thronged by many races, highly colored by nature itself. From the surrounding country and islands, all kinds of animals reach Singapore: The great pythons from the Malay Islands, elephants from Siam, king-cobras from India; black panthers from Borneo; honey bears from Australia; parrots from many isles; monkeys of every description from everywhere.

During the twelve long days of fog, between poker games, Archie Spencer told me about all this. He was a large man, a native of the State of Colorado, with long almost Indian features and the jaw of a prize-fighter; yet, there were many deep and subtle things in his steel-grey eyes, things that do not come out of the West. There was something about him at once feline and hard which called to mind a wild animal. As Orpheus charmed the beasts, so he charmed me with his stories which opened before me the vast tropical forests before I ever reached them. I had to summon all my will power to let him land in Yokohama and not throw up my plans and join him in his adventurous and thrilling exploits. He told me that he sometimes goes hunting himself and there cannot be a more trying chase than for quarry that must needs be brought back alive. Thus he spent days on end laying for a giant gorilla in his lair, until he finally succeeded in its capture by substituting some native intoxicant for the water which the gorilla was drinking from a certain pool; it was an unconscious, dead-drunk monster that started on its journey of many thousands of miles, for a life in

Archie Spencer

captivity. But more often he lets the jungle come to him. Dressed in white pongee, he sits comfortably at the Raffles club in Singapore, imbibing Million Dollar Cocktails (white of an egg, gin, half a sweet lemon, a few drops of curaçao and a dash of grenadine). His orders are on their way and he now takes his case waiting for the arrival of his Malay agents or Dayaks, characterized by their hair, worn as long as a woman's.

During his last trip, Archie Spencer told me, a boat had come into port from Borneo that carried a young orang-outang on board. He was as hairy as a cocoanut, reaching frantically through the bamboo sticks of his cage with his long fierce arms that were not unlike the wind-blown branches of a willow tree. He was acting so violently that he had to be put into an improvised strait jacket. Yet, he broke away from his two keepers and leaped upon the American with outstretched arms, ready to strangle him. He was met by a cut on the jaw from Spencer's fist which knocked him out. The animal dealer pulled his check book and had his groggy adversary loaded onto a ship bound for Seattle...

A Chinese steward, in a long blue silk tunic, came on deck and struck the gong, calling the passengers to the dining room. We parted, but dinner over and my cigar quickly gone in the sea wind, I joined Archie Spencer again, looking lithe and muscular in his white linen mess jacket — certainly a superior creature, I thought, to the whole fauna of consuls, merchants and missionaries whom we carried on board with us. And Archie continued his tales of animals and their capture, a new and marvelous Jungle Book. There was the story of the black panther for instance, which on its way to New-Orleans, freed itself by gnawing through the rotten floor boards of its cage and got loose on ship-board. For a whole day the passengers were locked in their cabins while the beast was being pursued from deck to deck; finally, panic-stricken, it jumped into the sea. Four sharks seemed to be waiting for it and caught the panther on the tips of their upturned noses, tossing it forth and back between them like a water-polo ball, a few minutes later there was nothing left but a splotch of blood on the water. . . . It was nearly midnight and Archie rose to go.

« Don't leave yet! Tell about the cobra that hissed and jumped at you. Did you really muffle its head with your coat. »

« I'll tell you about it tomorrow » said Archie, who preferred spending the evening dancing with a very attractive Creole « And I shall also tell you of my adventure with the Chinaman Ah Chew. »

« Ah Chew! You're making that one up, Archie! That's not a name, it's a sneeze : Ah Chew! How's your cold? »

« It certainly was no joke for me » Archie replied: « That cold nearly cost me my life. »

Archie Spencer began his narrative:

« About six years ago, in October, I arrived in Singapore. It was at the end of the rainy season. I had been spending some time in France, where I had been engaging in quite a different kind of chase; the East had not seen me since the beginning of the war. You can imagine that my business was in pretty bad shape. I was unable to locate many of my native agents just when my list was uncommonly long. I remember that I got Catherine on that trip, the white-bellied tigress of the Chicago zoo; she was seven years old then. And there was Orange Bitters, the chimpanzee that went to the Garden in Baltimore (she had two sons since); also a leopard that died and Jackie, the little elephant from Madras who became the pet of some millionaire children. There were the six boa constrictors, too, of the Van den Plas Circus — you know, the famous ones that used to uncork a bottle of whiskey but would not touch a bottle of water. At that time I was not so patient as to wait quietly at the hotel for my agents; I did a great deal of the work myself. I turned night hunter like the beast I was after, and every evening, I would fight my way through the Chinese bazaars in Singapore; where they have the ducks, for instance, tied by one leg waiting to be lacquered. The shrieking of peacocks and swans and the yapping of dogs was filling the air, exhibiting violent preference to hold on to their lives instead of being made into preserves. But my search was in vain, or nearly so; the zoological societies of Antwerp and Paris had been

212

doing their scouting for the first time since the war and had ransacked the places clean empty. Never have I encountered such a shortage in animals. I left Singapore and went to Saigon which is in French Cochinchina, hoping to find there at least one or two tigers from the Dalat Moutain, which are over five thousand feet high, so that their cold climate gives the native beasts a much thicker pelt than one finds in the equatorial regions. I was sitting on the terrace of the *Continental* one night, when I ran across this advertisement in the local newspaper:

FOR SALE
Tigers, elephants, panthers, wild cats
Ah Chew, Cholon, 381, rue Joffre.

Cholon is the name of the Chinese section of the town, while Saigon is European. It has been said of French Indo-China that it is a colony of Chinese run by French officials and there is some truth in that. The Chinese live in Cholon much as they do in Singapore or Bangkok; they get prosperous, fat, grasping and are always prolific. They manage to escape the taxes and are safe from the hazards, the extortions and the thefts which are undermining their own country; they even contrive to amass fabulous wealth. Have you noticed, by the way, that the Chinese, who live so frugally in their own country, are the very people whom you see thriving and leading a lavish existence when away from it? And there are over ten million of them that do not live in China. But to continue: I hailed a rickshaw — they called it « poussee » there — and set out for Cholon. The streets were dark and narrow as usual, like caverns of the underworld, hung with vertical signboards, bearing small Chinese lettering in gold on red or black lacquer. Impassive, half-naked figures went in and out of those alleys, like characters fading into the pages of a large book standing on end. The Chinese inns — full of noise, outcries, murderous turmoil and the mah-jong tiles clattering all night like hail on a tin roof. The theatres — cymbals clanking, gramophones wailing, operetta singers adding their strident notes to the infernal din. In the upper stories, reveling in the solace of forgetting life and the world, opium smokers were lying stretched out on their backs, attended by girls wearing wreaths of gardenias about their throats. I left all this behind me, passed through a dark alley and crossed a canal in which junks were packed so closely that no bridge was needed. I came out not far from Inspection Road and the wireless station, a section of silent gardens and villas belonging to prosperous Chinese, which look about the same everywhere. On one of the gates, a brass plate showed that I had reached my destination. I made my way through a dense patch of trees — a bit of jungle left standing there — and reached a small house, characteristic of the kind in which the Chinese live abroad; it was quite dirty, but it had blue china flowerpots everywhere, overflowing with ferns and orchids. A strench emanated from the place that was appalling: decaying carrion, the sharp odor of muskrats, the nauseating scent of civet-cats, all mingling with the perfumed incense sticks burning before the protective Buddha. My entrance was hailed by the shrieking laughter of a Java bird which was hidden somewhere. The house was in the usual manner, the floor being on the same level as the ground on which it stood, like the ones depicted in primitive drawings where the artists, to reveal the interior, simply left off the walls. The place seemed to have been forsaken by all its occupants. Then I heard, down the streets, the spluttering of Chinese fire-crackers which are set off on days of celebration and also to frighten away evil spirits. I remembered now that when I was making my way through Cholon the whole town had been hung with lanterns and with five-striped flags: To be sure, this was the anniversary of the Chinese Republic. Ah Chew and his family were probably with some friends, drinking rice-brandy or fruit wine to accompany such delicacies as bird's-nest soup. This was the reason for the house being deserted and my call had been apparently vain.

« However, some sounds came from the dining room which deceived me for a moment — it turned out to be the wail of a lonesome cat and a ventilator that had been left going — and I walked through the parlor which was common-place and in bad taste, hung with enlarged photographs of a puffy, mean-faced young Chinaman and a rather common-looking white woman. On a red lacquer table there

214

were some cheap porcelain gewgaws, manufactured in Shanghai for the tourist trade; on the walls, several stuffed peacocks, dusty and mildewed, and some strips of red silk, embroidered with good luck emblems in gold.

« I had just turned to leave, when a woman's voice called out in French, 'Monsieur! Monsieur!' I went back and found a door ajar in the parlor which opened to a staircase. The voice seemed to have come from somewhere above, and I started up; but on the landing another door barred my way.

« 'Monsieur! Don't go away; listen to me. . . . help me.'

« Looking up, I saw above the door, which did not quite reach the ceiling, the face of a woman: A pretty little face, round, with fair cheeks, black hair and blue eyes.

« 'Why, — what do you want me to do?' I asked.

« 'You're an American, aren't you? I'm Irish. I saw you come into the house. You must save me! I've been locked into this room and I can't get out. Locked in by my husband. . . . It's terrible!'

« She had climbed up there somehow, at the risk of breaking her neck, and was balancing herself with difficulty on he door knob.

« 'But who is your husband, Madame?'

« 'Ah Chew. I am Mrs. Ah Chew; I'm Chinese now. Yes, Chinese by marriage — it happened two months ago. Until last week I was just miserable, but I could stand it. But I paid a visit to some French people, and since then my husband's family has kept me a prisoner.'

« 'Shall I call the police?'

« 'The police can't do anything; I'm Chinese, according to their law. It's the truth. I thought I was making a fine match when I married Ah Chew, and look at the difficulty I'm in now. He'll kill me yet. A Chinaman seems all right when you meet him outside of China; you might even think he's the same as other people: but no sooner you come to his real home you realize what he is like: a savage, a brute! Why, I'd rather be taken prisoner by cannibals or thrown to wild beasts. . . . They've caged me the way they do their animals; they treat me just like one of them: feed me twice a day. . . . Fate brought you here — Save me! Take me away with you! Hide me from them! They won't be back till after dark. My name is Flora O'Dell.'

215

East India and company

I could not help but laugh. Chinese! — This girl with her London-derry brogue and her New York manner, those round, wide-open blue eyes, that rosy Aryan skin, those white teeth that had never touched the betel nut — Chinese indeed! It was too absurd. Another proof, I thought, of the eternal wrong of mixed marriages — probably one of those many foolish, hasty matches between a white woman and a man of darker skin, which we cannot forgive, but which we must accept like many things wrong but inevitable, since in such matters we never let the bitter experience of others be a lesson to us.

Flora O'Dell's father was a drunken schoolmaster. In Mexico she had met a young Chinese who called himself a student and often mentionned the great wealth or his family in China. Followed an elopement, a precipitate marriage. Then the arrival in Cholon, revelations and desillusions. She found herself under the thumb of an Annamite woman, her husband's first wife, and a tyrannical father-in-law, Ah Chew, who forced her into accepting the Chinese mode of living. Her husband who, in the New World, had seemed so distinguished, so American, who referred to himself as an engineer and had worn smart grey lounging suits, whistling the latest blues, once he reached home, and donned his native garb, lost all these attributes and became again the taciturn Asiatic, an insignificant nonentity, implicitly obeying his father, whose word was law, and whose money and blows he pocketed with equal humility.

« This old Chinaman, Ah Chew, dealer in wild animals, dominated the whole family, ruled the house with an iron hand. He was sly, miserly and silent. Ah Chew had taken an immediate dislike to his new daughter-in-law and had locked her up in the house, surrounded by all those wild beasts and the ever-present odor of stale meat. There she was, amidst the cracking of the whips in the training cage, the howls of the infuriated animals who might break through their flimsy boxes at any moment. Behind those doors and in the sheds there must have been two hundred thousand dollars' worth of them... »

Archie waxed quite emotional when he explained why he rescued the fair young lady. He seemed to have forgotten me, the bar, the ship and the sea; he thought himself again in that deserted house in Cholon, where night was falling, the burning incense charging the air with its

216

heavy perfume and a young woman imploring him to save her from the yellow peril.

He scaled the door and thus had a chance to view the Irish pony in her stall. She was a mere child, scarcely twenty, her face — while not a delicate type, ever so pretty and appealing — all swollen now with the tears of many regrets. He managed to let himself into the room and she rushed into his arms, clinging to him for dear life, her hands covered with large, beautiful jewels in bad taste, frantically clasping his neck as if she were drowning. If he had entertained any scruples, they now disappeared, and a rescue was planned for the same night. Ah Chew would be coming home very late and he was sure to be drunk. The Annamite wife was away in the mountains. The noise from the Chinese celebration would enable Archie to make his nocturnal visit unnoticed. This was a chance that could not be missed. He would make his entrance through the garden: the Malay watchmen slept in the front of the house and he could reach the porch without being seen. A taxi would be waiting at the turn of the canal. Once in a hotel she would be hidden in safety. Tomorrow, a call on the consul for a passport and then the first ship to Hong-kong.

This was all very well planned, but how had Ah Chew, the terrible father-in-law, learned of Archie's visit and the proposed abduction? One of the mysteries of Oriental houses, where hidden, invisible spies are always lurking, and no word, no gesture escapes their notice. Spying between father and son, between political factions, between competitors in trade: what chance is there for a stranger, even a great big American, bent on righting a wrong, and trying to save a woman, interfering in a Chinaman's most private affairs, of escaping their prying eyes and ears.

« When I returned, toward midnight, » continued Archie, « the garden was as quiet as a grave. Cocoanut trees, like tall black plumes, stood out in silhouette against the pale tropical moon, veiled in a halo of warm vapors. There had been no rain and the frogs and toads had not come out to cover the sound of my steps with their bellowing. There was not a sound, except the chirping of the crickets and the subdued crackling in the beetle-ridden wood; from away in the distance came the noises of the town. Night, in those parts, is the time

217

when life is widest awake — daylight and the sun bring sleep and death.

« I passed under some banyans and crept up a little staircase leading to the porch in the rear of the house. I found all the doors locked. This was not as we had planned. I held my breath and crept down again. Back in the garden I softly whistled the signal we had agreed on. A dry branch cracked behind me. I did not move. Through the darkness under the trees, I saw a crouching figure slipping by, then another. Cats, I thought, for I caught the glint of phosphorescent eyes.

« Suddenly an iron door cracked and swung open. Like gushing water, black, supple shapes, hurrying, falling, running, came pouring out like a cataract and rushed past me. I realized what had happened. Another frightful outburst followed; the whole night was trembling with outcries, shrieks and howls : a fearful upheaval, as if the whole jungle had taken sudden flight before an unknown terror in the darkness. I saw now that I had been betrayed. Ah Chew had been informed of my visit and had his animal cages opened so that I should be eaten alive. I looked for shelter, tried to climb a tree — in vain.

« The beasts, drunk with their sudden and unexpected freedom had not yet perceived my presence. But suddenly I felt them around me, felt their hot breath on my hands, saw their eyes gleaming in the dark. Daniel in the lion's den! For a moment I stood motionless, not able to see a thing, yet realizing that the beasts not only saw me, but sensed me as well. I took my flashlight from my pocket and what I saw in its glare turned my knees to water: I was surrounded by tigers who crouched back at the sudden flare of light, their jaws gaping. . . My only chance of escape was the gate of the garden, straight ahead of me. Only by a miracle I would reach it. I carried a revolver and I fired — once, twice, a third time — over their heads, so as not to wound and infuriate the snarling beasts. I risked a few paces forward.

« From the house came the sound of a woman crying for help. Suddenly there was light. The electric light on the porch had been switched on, pushing the shadows of the soft tropical night far back into the garden... And then the miracle that I had been praying for, happened. The tigers, as if possessed, were dashing down the blue lawn to a spot where a semi-circle of chairs was grouped around a large

218

ball. I fired another shot. Eight tigers, royal animals, with magnificent pelts, jumped on the chairs and inverted tubs. The biggest of them leaped onto the ball, gained his equilibrium in a single bound and balanced himself there, his fore-paws together. It was the most wonderful and astounding picture imaginable: those children of the jungle bewitched, motionless, their fangs gleaming. And behind them two elephants slowly knelt down. Primeval ferociousness was tamed, the beasts' ravenous instincts cowed for the moment — my life saved.

« I warrant you I did not stop for an explanation, I did not even give myself time to be astonished. I made a run for the gate and slammed it behind me. Once safe, I bethought myself of the rescue I had planned. The next day, through the British consul, a friend of mine, I got Flora out of the house, for she had no difficulty in proving cruel and abusive treatment. Later, she explained to me how my incredible adventure had come to pass. As I thought, Ah Chew had been told of my visit to his house by one of his boys. But when they told him, he was stretched out in a room of a Chinese hotel, drunk with wine and stupefied by opium and caring very little for the honor of his house or anything else. He had simply said:

« 'When the white dog comes back tonight, open the cages.'

« The boy had been Ah Chew's valet, and really knew nothing about the animals. He had thought it sufficient to quickly open just one of the large cages near the entrance and then run for his life. It so happened that this cage held the tigers, belonging to a circus, just gone bankrupt, that had been on the market since the day before. I owe my life to this circumstance, for I had run into some tigers, formerly belonging to the *Cirque Canapoil*, that had been trained to obey signals given by revolver shots. If I attempted to intrude into Ah Chew's private life on any other day but that one, I fear Archie Spencer would not be here, Monsieur, crossing the Pacific with you. What would you say to one more *hula-hula* cocktail before we go down to dinner? »

II
The living god

A mysterious island and the strange
double life of Don Juan Olozagà

For several days our little steamer had been tossed about by heavy seas in the Indian Ocean. Engine trouble forced us to cast anchor off some coral reefs belonging to the group known as the Barrier Islands. Whatever land there was could hardly be called solid ground; it was much rather a swamp, scarcely distinguishable from the sea. Looking at that torrid and boggy spot, where the cocoanut and banana trees stood deep in the mud, their roots appearing like twisted, motionless reptiles, one might have thought that the Deluge had only just subsided. The temperature and humidity was that of a hothouse, and one could assume that prehistoric animals, no matter how difficult to please, would find the place to their liking if they should return to earth.

After a three days' wait for a tow, which a Japanese steamer proceeding down the coast of Sumatra had promised us by radio, I took one of the ship's small boats and went ashore on the island. Here earth and water were still strangely intermingled. The forest, with shells and corals covering the tree trunks, seemed some weird submarine growth,

220

come up from the bottom of the ocean. Sea fowl that usually avoid dry land felt at home here as if it were amphibious ground. There was no beach, no sand, no pebbles: it seemed as if the forest had grown straight out of the sea.

In search for a spot where I could go properly ashore I followed what there was of a tortuous coast line, splashing on foot through the water, covered with floating moss and spreading water lilies that served as perches for large birds. The only permanent inhabitants of this uncertain territory seemed to be the ants. There was no terra firma, but only a succession of mud holes hidden under a treacherous carpet of water plants. And yet, the evening before, I had observed from my ship's cabin a red glow like a fire which seemed to indicate to me the presence of some inhabitant. An hour's walking on bottomless, slippery ground, during which time I had not been able to penetrate inland at any point, brought me to a pavilion. It was mounted on piles, driven into the water, as for the building of a bridge; its roof consisted of dry palm leaves; the entrance was decorated with shells, red feathers and various hunting trophies, among them a few head of deer.

As I was making my laborious progress I had been so completely intent on every step I took, lest I should become bogged in the shifting mud, I had scarcely looked about me at all, which is always true in walking through any forest. When I looked up now, I saw a naked old man — a white man — who seemed to have been watching my approach for some time. He was seated high up on a platform above his hut, a structure of alternate strips of hard wood and yielding bamboos which he had apparently reached by a trap door which was let into the roof. He sat bent very low, as if he were suffering from rheumatism; I noticed that it was this stiff posture that gave him the appearance of great age, rather than his face which, although seared with lines and of a deep tan, was comparatively young by contrast. He was, indeed, naked, but for some strings of shell and a mother-of-pearl breastplate. His bony legs and feet were deformed from the continuous effort of getting a foothold on the slippery roots and tree trunks. I took him for an Arab, some holy wayfarer bent on recruiting pilgrims to Mecca — for the population of those islands is Moslem — for he had the fine, sharply chiseled, cruel profile of the men from the Near East.

« Dutchman? » he called down from his vantage point, omitting the native gesture of salutation which means: I place myself beneath the soles of your feet.

« No, » I answered. « Shipwrecked — temporarily. That's my nationality. »

« You need not fear for your safety, friend. Europeans — 'white eyes' — are not taboo on this island. »

The old man spoke sometimes in French, sometimes in Spanish. « And you? » I asked. « Where do you hail from? »

« I? I am Basque. »

« Well, what are you doing here? On a holiday — or in exile? »

« Neither. I live here with the natives. My functions are exceedingly honorable. I am the judge, the chieftain, member of the high senate and, above all... »

« You are not a leper! » I interjected, seeing him thus isolated from all human kind.

« No. Don't worry. I am a god. As such, my name is the Navel of the Earth. I also rule over the elements. I happen to be alone because my subjects have gone fishing. »

« But your real name? The name you used to bear in Europe? »

The old fellow was still in his characteristic native position, knees to his chin; a cigarette was dangling from his lips; his eyes gleamed brightly under his wide-brimmed straw hat that was held with a strap under his chin.

« Well, there is no reason for making a secret of it anymore. Sit down then and listen to my story. My name is Don Juan Olozagà. I saw the light of this world on Spanish territory, not far from Pampeluna. I landed on this island twenty years ago — after heavy storms as you did, — and also in the month of February. At that time of the year the prevailing winds suddenly shift which sets up an easterly current of the sea, hard to navigate for a ship that is the worse for abuse, and when this island is here. . . . »

« What do you mean by: 'when this island is here'? »

« Please follow my story without interruptions. If I said I landed

222

here from a shipwreck I would not be quite accurate in my statement. I was swimming toward the shore and was caught in a fishing net. The natives hauled me ashore and, when they saw me, shouted: *'Yinko!'* Now Yinko, in my Basque tongue, means 'god'. Was it possible that the word had the same meaning here, a thirty-five days' journey away from my country? I took a chance and asked of them: 'Eman dezada yavera?'- which means, 'Can you give me something to eat?' They understood me! Some women appeared, followed by a man who wore ornaments consisting of a number of small mirrors such as are used in bird traps; he was the high priest. He told me, in a language which I understood without knowing why, that I was 'the god that is to be brought up from out of the sea,' who had been expected, according to local legends, for twenty centuries.

« Later I bethought myself of the strange origin of my mother tongue, the Basque language which has nothing in common with any Indo-Germanic derivations and which is only heard in the interior of North Japan, where an ancient race has been isolated for ages. I was pondering on the subject of this dialect which undoubtedly is one of the oldest on the face of the earth and wondered if I, perhaps, had ancestors in common with this oceanic tribe descended, as it was, from a Caucasian race. At any rate, I was asked to sit in the karapatan, the assembly of the chiefs, and while I was fully expecting to be put to the stake, they explained to me that I was the Navel of the Earth. I also learned — the answer to your previous question — that this island is submerged in the sea for eight months, every seven years. It reappears, covered with slimy salt-water growth. While it is immersed, the natives live on rafts, subsisting somehow on fish and keeping themselves, the cats and the sacred lizards alive.

« The prophesied Deluge took place the following year as per schedule. I told my people — the natives — that I would spend the eight months of the Flood in travel. When the extraordinary event came to pass — regulated by some volcanic periods, no doubt — I sailed for the Dutch East Indies, taking with me a very young priestess named Nescatcha and a supply of very fine pearls. I returned to Europe, highly pleased with myself for having so advantageously come out of a doubtful adventure.

East India and company

« I saw my Basque country again. My mother was beginning to grow old and wanted to see me married. The wedding took place, and Nescatcha, who had lived in polygamous state with the priests of her tribe, was present. But my wife, who did not share her broadmindedness, showed her resentment by reducing her noble rival to the rank of a servant. The humdrum married life quickly became hateful to me, and I left my home and my wife, after a week of conjugal existence, sold the pearls I had taken with me and settled in Biarritz, where I lived on a royal plane. I occupied the suite of state at the Palace Hotel, owned the first automobiles in those days, kept a yacht, and was hardly ever sober. I played baccarat like an imbecile, and, in short, after two months of it, I was penniless. The morning I returned from the Casino for the last time, having lost everything, I found Nescatcha in tears. But she was not weeping over the money that was gone; she loved the simple life and she actually suffered from my sophisticated excesses. But I, too, had gradually become a victim of a longing for the tropics, and so we started again for our island.

« When I saw it again, I was almost overcome by emotion. Like a coral basket full of fruits and flowers on a polished silver tray it was awaiting me, risen from the sea, like Aphrodite, it had reappeared, refreshed and beautified by its bath. Several miles out at sea, strong odors of camphor and turpentine reached my nostrils, wafted over the water by the off-shore breeze. Feasts were staged for my return, human sacrifices were brought; my official wedding to Nescatcha, who was thus raised to the rank of a goddess, marked the climax of the celebrations. This life then lasted seven years.

« Of course, nobody in Europe heard from me, nor had anybody my address. But I had been worrying about my mother's health; I had a presentiment that some calamity was about to befall. I took the opportunity, provided by Nature, for a leave of absence and — this time alone — returned to Europe once more, after having spent the happiest days of my life on that island. When I reached home, the news of my mother's death was waiting for me; my wife, weary of my prolonged absence and believing me lost at sea, had married again. I had taken more pearls than the first time but, when I had converted them into currency, they did not last much longer; life had become more expensive and I had become much more exacting in the choice of my pleasures. I became an influential political leader in my district. Even Madrid, the capital, smiled upon me with a graceful invitation to accept a seat in the senate; I accepted, out of vanity. My *palais* stood on the Castellana; I kept open house and supported a racing stable. I played polo with the King and was feeding a regiment of parasites, unnecessary servants and mistresses that deceived me. But, as before, after a few months, lack of funds suggested another disappearance, and I again returned to my island. For twenty years I carried on this double life. In the western hemisphere I was the disgusting upstart, an obnoxious *nouveau riche* with diamonds on my fingers, wearing a grey Fedora hat and a flashy tie — dissipated and vulgar, associating with *toreros* out of a job, seedy generals, professional gamblers and procurers. I spent my nights in the *Ciudad Leneal* and took my suppers in the cabarets of *La Pernices*.

« When I was told that I was being considered for the post of ambassador to a South American country, I raised no objections. I bribed ministers and had a palace built for myself by the sea at Santander. The life I was leading wrought a dire influence on my character: I became avaricious, cruel, vain and predatory. But, as if Heaven wanted to give me proof that it had not quite forsaken me, it always made me return to the Barrier Islands. I went without leaving the faintest hint of my destination and stayed away without sending back any news of myself. Then another life began, the real one, in the other hemisphere. The same man who had dazzled the peasant girls and the street walker of *La Feria*, in Seville, a few months before, here became an austere being, an ascetic, whose only possessions were a straw sleeping mat, a stone mortar for crushing herbs and a nail-studded board for shredding cocoanuts. The man who, in Spain, had reproductions of the bath halls of the Alhambra built in his house, at the cost of five million pesetas, was living again in Melanesia the most primitive existence that knows no soap, where instead of washing one scrapes the skin with a split bamboo. I distributed alms, dispensed justice and worked miracles. (Not the least noteworthy one was the complete tranformation I underwent myself.) I have heard of people, suffering from a psychic affliction, that lead a double life without knowing it, being criminals by night and exemplary characters by day. I experienced that same phenomenon, only that I was wide awake in either rôle I played; and it was not for days but, as I have told you, for twenty years. In Europe, carnal, inebriate, a 'sport', although at bottom a much despised wastrel and wanton; here, frugal, without desires, naked, — but a god!

« When the last seven years had passed — that was three years ago — and the island was beginning to settle into the ocean like a foundering ship, I took a craft, the same as the natives, but I did not go back to Europe. Nescatcha, the wife of my affections, had died young, as do most women of the tropics, and I, too, felt my age, and although my wealth, recruited from the hunting and fishing of my native subjects, had become well nigh unlimited, I had exhausted my taste for the paltry and enervating pleasures that civilization afforded. I remained among those who believed in me, who needed me; I had grown to love them like children. These natives, due to their language bearing no relation to any of the Indonesian dialects, their insular seclusion, yes, their super-seclusion in consequence of the periodic disappearance of their country and their life in floating homes have never been in contact with other islands and thus have escaped Islam, the Malay vices and the curse of alcohol and commerce. The simplicity of their habits is such that iron is still an unknown commodity and that they go about without even the slightest vestige of clothing. They live in the interior in huts like these, shaped like enlarged beehives, topped by wooden birds with spread wings. There is nothing about them that reminds of the inhabitants of the Malay peninsula. Their skeletons are finely built, although, negotiating these forests and their resulting habit of crawling have given them the bent attitude which you notice in me. Their eyes are limpid and luminous and can be timidly pleading like those of a cornered deer. They take to the interior so soon as they catch sight of a sail or the wisp of smoke on the horizon. I usually accompany them and, if I did not do so today, it was because I wanted to talk to a white man. When the time approaches for the island to submerge, a feast is celebrated. Then part of the natives board their unsinkable canoes, while others move into their floating rafts which have the shape, somewhat, of ancient Portuguese galleons. I occupy a

226

temple, set on a raft, and gather around me the white buffaloes and the sacred lizards. I am attended by the sorcerers, medicine men, dressed in straw, much the same as you have seen elsewhere, who continue their incantations and the practice of their prophetic arts during their sojourn on the water. »

« Then I am the first white you have seen since your last visit to Europe? » I asked.

« No. One day, three years ago, while I was engaged in some sacrificial rites, I noticed some smoke on the horizon. A steamer anchored, not far from where yours is now; a small Dutch coaster. The natives fled to the interior, while I concealed myself in a cocoanut tree. A gig made for the island, and I was astounded to recognize in the two men who stepped ashore two cousins of mine! From my hiding place I could easily overhear those two members of my family enter into a conversation. The one unfolded a chart:

« 'Three degrees south, by six degrees — one day's sailing from Kroemg Atjeh. This is the spot where he should be. Johnston's Atlas, London, 1848, makes mention of the island of Summendi. Is this the one? The *Encyclopaedia Britannica* also mentions it, even referring to Marco Polo, who, after being called a liar, has, as you know, now been completely vindicated.'

« 'But Jacob's *Dutch Atlas* of 1875, which comprises all the islands in this region, does not give the island we are on now. And the Admiralty Maps are singularly incomplete so far as the Barrier Islands are concerned.'

« 'But you recall the notebook which Olozagà left at his home and which was found among his late mother's effects: From it the indications show that this island must be the one. It all seems quite incomprehensible.'

« 'Still, we cannot possibly assume that this island exists only part of the time and disappears for the rest.'

« 'It appears to be the only possible conclusion.'

« 'My opinion, Eustachio, is that we are only wasting time and money here. Don Juan Olozagà has not returned because he is dead. And even if we found him there is nothing to indicate that he would shower us with presents — the elusive sea serpent that he is!'

« 'There have been rumors for years that he is soon in India, soon in Thibet and soon in Patagonia!'

« My wife, his widow, built him a cenotaph, but it is still empty. . . . Pretty soon I am not unlikely to take his place in it.'

« 'Don Juan was a canny rascal.'

« 'He was. I cannot say as much for us. There is nothing left to do but return to Batavia and prevail upon the Dutch authorities to institute researches. Perhaps they will have better luck.'

« My cousins remained for quite a long time, seated there in the blue shade of the cocoanut tree; I, their elusive relative, was perched eight meters above their heads. They said no more, subdued by the utter silence of the island, broken only by the explosive rumble of the long swell breaking on the coral reefs, a hostile sound in an intruder's ear. Finally they rowed off, leaving the cursed place behind them; apparently they made no further attempts to discover their rich cousin; at least I have not heard of them again.

« I climbed down from the tree, feeling light and happy. Now all bonds with Europe, civilization and relations were definitely severed. I shall not deny that it required a good deal of will power on my part, for family ties form strong bonds in the Basque country. But it was an even more powerful impulse that I was obeying. I was yielding to an unspeakably pleasant sense of utmost detachment, the soft, lulling indifference of the tropics, a waking sleep that makes you look forward to your last hour with complete resignation. I have reached that last peaceful state and that is why I have confided to you my secret. I am a marked man now. When I press with my fingers on my liver, I can feel it as hard as a stone. Even if I should wish to reach Aden there would not be enough time left to do so: I have had three abscesses — the fourth is the fatal one. With the infallible instinct of animals and primitive humans the medicine men announced my approaching death, two days ago. Listen! You hear only the bullfrogs giving their evening concert. The silence of the great solitude is already closing on me; even now I am part of another life. . . . The natives have gone north; they will not return till the last quarter of the moon has declined. Then they will tightly bind up my corpse and place near it the necessaries for the final voyage; it will be left in an open hut, to dry in the sun and the southern winds. . . which, I believe, is just as good as rotting in the red earth of Guipuzcoa. — No, thank you, I no longer require anything. In less than a week I shall have left this world. I do not know if, as I have been told, I shall reincarnate and live another life as a white animal; even though I am a god, I have no precise information on that score. Good-bye. You are free to tell my story, when you reach Europe. But dwell on my western reputation, the shady one; say, if you like, that you met Don Juan Olozagà, the upstart, the libertine, the man without a heart. Do not say that you met the other one, the most singularly advanced man in the world — the god. »

III
A chinese ghost story

A Franciscan missionary witnesses a strange display of supernatural phenomena

I made the crossing by boat from Shanghai to Hong Kong in the company of Father V., a Franciscan missionary. He was a huge man, so enormous that he looked like one of those grotesque figures which the early, primitive Flemish painters used to depict as blowing a trumpet while the Heavens opened on the Day of Judgment. He had lived in China for a long time, — possibly thirty years, — partly at Setshuan and partly at Yunnan. The Superior Order had just called him to Jerusalem, and he was going to the other end of the world as complacently as if it meant no more to him than a trip from Paris to Versailles. On a few hours' notice he had left his school, his infirmary and his friends in China, without apparent regret and with the indifference of a man trained in the diplomatic service, and accustomed from his youth to start at a moment's notice for the most remote places. Father V. was, indeed, a good diplomat, but an official serving God. The thirty years of his life spent in China had not tainted him with any exotic romanticism or poetic notions. He was tanned by the sun and he was never without his shabby blue cotton umbrella. The blazing sun had parched his face and made it as yellow as a funereal Tang statuette; he looked like an old Norman peasant and an old Chinese peasant at the same time. While he believed in God with apostolic faith, he still was able to allow for the existence of supernatural phenomena which, to be sure, had not the slightest connection with his religion and his Western ideas. The two civilizations had become mingled in him so that his mind could pass from one to the other without apparent awareness. Nevertheless, I was quite astonished when I heard him talk one evening. We had seated ourselves near the water, watching the blood-red sun of the tropics dissolve in a sea as of heavy silk, serrated by the streaks which marked the wake of flying fish. I faintly remember that I made myself slightly ridiculous, that day, by my attempt to expound China to the saintly man who had lived there thirty years. And I had spent scarcely thirty days there.

« China is a skeptical, rational and incredulous country, » I said. « A hard stone which no manner of faith can soften. If our sterile Europeans, with their dried-up hearts, are looking to Asia for a revolution, let them turn their faces to mysterious India, but never to China. There is nothing in China to give one faith in supernatural powers or a Beyond. »

« How do you know that? » interrupted Father V.

« Well, everybody seems to agree about it. I have read it somewhere. I have read almost everything that has been written about China, » I added, with the rashness of my youth.

« You have to live there as I have, » said Father V. « Thirty-five days in a *palanquin*, — quite a different mode of travel than Europeans are used to, — and then you may be able to tell me something about China. I was born on the border of Normandy and Brittany; I am a Celt; and I place no credence in ghost stories. But I can tell you that what I have seen in Setshuan is beyond my comprehension. »

« Our times, however, are quite cold toward magic . . . » I protested.

« In the Orient, dreams reign supreme, » continued the Priest. « 'Asia is the World's subconsciousness,' said someone who was no fool. And China, where no death is ever forgotten, no bones ever cast away, is the very paradise of phantoms. I adore Chinese ghosts; they are, taken all in all, inoffensive, and more comic than terrifying. They are at the mercy of sorcerers — those gaudy Chinese magicians, with all their intricate arsenal of spoils from beyond the grave, their hobnailed shoes, with which they walk on naked bodies, their caps, ornamented with the pictures of the seven fixed stars, and their robes, embroidered with augurial designs. Poor ghosts! Always being trapped by paper money of depreciated value, which is distributed at funerals and which has cash value only in the nether regions. They are made drunk and a thousand tricks are played on them.

« The result of one of these tricks is the story of the vampire, unable to return to its coffin because the sorcerer had stolen the lid; another, the story of a family whose male descendants were cursed by demons and, therefore, dressed all their boys as girls and married them to girls dressed as boys, to fool evil spirits. I am not altogether joking, » added Father V. « I have been present at mysterious occurrences which were utterly inexplicable . . . I have even been a victim. The Chinese hold their supernatural *séances* in an objective manner, » said Father V. after a moment's reflection, and he spoke in a low voice as if he anticipated some future difficulty with Rome. « Yes, objectively, — as if they imagined them actually having been put to the proof. As for me, and in this I believe I am in accord with modern science, I see in them nothing but subjective phenomena, dreams and psychic symbols which can always be interpreted. But as they are, these manifestations represent a very extraordinary contribution to the history of China. You see, there are ordinarily no mirages except in regions surcharged with shadow and humidity. In China one finds the most beautiful mirages — in the rarefied atmosphere of high plateaux or in the extreme dryness of the desert, where some sort of static fluid seems to be active between Heaven and earth, particularly adapted to facilitating communications with the Beyond.

« Several months ago », continued Father V., « I was riding alone on horseback on my way to visit one of our Fathers sick, who was in Shantung; I was to take his place temporarily and give his lectures in astronomy. I had just passed Su-Tsheu-Fu when my horse collapsed and I had to leave it in the care of my *ma-fu*, or muleteer. I proceeded on foot, and, after four hours, night came. I was in a region of red earth, dotted here and there with round mounds, shaped as if hey had been made by moles; a country, bare in the less rocky spots, and elsewhere levelled by inundations and swept by the north wind as if with an implacable broom, leaving nothing protruding above the surface except the rocks. My face was lacerated by the sharp air. I saw the horizon before me darkening, but could not sight the town of Foli, which, according to my map, I should have been approaching. Suddenly, however, several meters from the road, or rather the path which served as one, I was surprised to see the lantern of an inn. I entered and asked for a drink of wine and a place to sleep for the night. The keeper of the inn seemed disobliging. An old man, however, realizing my plight, had pity on me and said: 'We have just cooked soup for some soldiers who have come a long distance. We have no wine left to give you, but on the right is an isolated hut where you can at least spend the night.'

« I went to look at my cabin. Centipedes and other many-legged insects were running about on its packed-dirt floor. I then realized that I was in the courtyard of the hostelry. Someone had rolled down the matting screen. The sun had set, and the stars were visible through the bamboo lattice work. The birds were still, and only the cicadas made any sound.

« When night had fallen, the court became alive with lanterns. I had to lie down with an empty stomach. The mosquitoes, in their attack on the cesspool which constitutes the court of every Chinese hotel, kept me from sleep. I made use of a large red paper fan. Soon, in the court, from which I was only separated by the matting hung around my hut, I heard a great noise of men and horses — a frightful clanking of steel, of spurs, of horses being unsaddled and neighing. My curiosity aroused, I got up and looked out, without being seen myself. I beheld the courtyard of the inn and the vicinity filled with soldiers who, seated on the ground, were drinking, eating and engaged in the usual soldiers' small-talk. In the half-shadow, by the light of the bivouac fire, I seemed to be afforded a view of the Buddhistic lower regions.

« In China, one grows accustomed to sudden military ingressions. They are frequent, particularly in the China of recent years. Different armies hold the country in control, pillaging, pursuing, or being them-

233

selves pursued. And the civil population is not in the least affected. The peasants do not stop in their labours, nor do the merchants cease from selling their goods. I thought I was merely encountering a body of Tshang-So-Lin's or Feng's armies. In fact, so accustomed was I to living among these Chinese extortionists, robbers and highwaymen, I felt in my own element, and not at all disconcerted. Long before, I had stopped paying attention to the shooting of cannon, which in China is a mere display and comparatively harmless. One is in luck when one is neither English nor Japanese, that is, when one is not obliged to take sides. If you have no worldly possessions, no visible goods, no gold buried underground, which might be converted into booty for the generals or pay for the soldiers, you may walk across China with your mind at peace. And I, moreover, am a priest. I have no interest even in a pretty woman, and so I spare myself the possibility of ending my days at the bottom of a well. Besides, we were living in the year when pork was plentiful, and pigs are animals I have always been fond of. I began to recite to myself philosophically the proverb, so celebrated in China; 'The God of War is great, but a porker is greater than the God of War,' when the noise in the courtyard grew louder and the soldiers shouted, 'Here comes the general!' And as the footsteps of his body-guard could already be heard, the soldiers who had crowded the court-yard all went out to meet him carrying lances and yellow pennants with green dragons. I noted that they had no rifles, machine guns, or cartridge belts, a circumstance rare with these elegant Chinese armies, which are usually armed to the teeth.

« There was a procession illuminated by several dozen paper lan-terns. Then a large Chinaman of martial and doughty appearance, with a nose like a hawk's beak and a great long beard, alighted from his horse before the door of the inn, entered, and seated himself in the place of honour. I assumed him to be some local tyrant, a provincial Boxer, or a *tukaun* or countryside super-bandit of great importance. I have met many such, holding up the salt tax and sometimes plundering the wayfarers. However, this one had the grand manner. . . . Over his armour he wore a robe of pale blue brocade and a satin cap. His hands were hidden in his sleeves, in the way portrayed in old prints. His beard also intrigued me; I had never, except in the theatre, seen a beard which belonged to the early days of Mandshu. He was served with wine in a porcelain cup and ate from a bowl which contained shark's fins floating in a muddy sauce, mixed with small preserved oranges. He ate and drank noisily, as generals frequently do. Then he caressed the inn-keeper's wife. 'Your wife is ugly,' he said to his host. 'An ugly woman in the family is a treasure.' He laughed, a dry laugh that sounded like bamboo crackling in the fire. He made some frightful noises to bear polite witness to the fact that he had dined well, and then called his officers. He said to them: 'You have been on the go for a long time. Let everybody return to quarters. I am going to take a little rest. As soon as you receive the order resume march.' The officers answered him with the usual signs of understanding and went out. The general then called, 'A-ts-i!' A moment later, a frail young officer, with his face painted, who was dressed in silver armour, came out of the room on the left and prostrated himself. His chief entrusted to him his commander's staff. The people of the inn closed the front door and retired.

« The strangeness of some of these details, the display of antique armament, the unusual trappings of the horses, the Mongolian head-pieces of the officers (which I could only faintly distinguish in the diffused light of the oiled paper lanterns), the cloaks lined with wild-cat fur and the old-fashioned soft-boots, — all this intrigued me so much that I got up to see more. I peered through the slits of the door on the left, through which the general had gone out. The light of a lamp filtered through the loosely joined boards. In the room I only saw a rattan camp-cot without bedding. Stalks of maize were drying on the roof. The general appeared disquieting and majestic in the dim light. He had the air of being powerful and, at the same time, he appeared to be caged. The orderly was standing at attention near the door. He prostrated himself once more and then came forward. The huge shadows of the two men (more than usually enlarged, because the lamp projecting them stood on the floor), passed in phantasmagoric sweeps across the rough walls of limestone. The two men seemed to be talking but, although I was very close to them, I could distinguish nothing. Their voices were as low as the buzzing of a wasp.

« Then I witnessed an extraordinary thing: The general seized his flat nose between his thumb and index finger, placed his other hand on the nape of his neck, turned his head around, and detached it from his shoulders. Without the slightest sound he deposited his head on the cot. . . . Just imagine — he detached his head, beard and all, with his head-piece still on. The mouth opened and several large black teeth fell out of it, and scattered on the floor. The eyes trembled ever so slightly in their sockets. They were like oysters, and they would have fallen out, except that the lids were so tight. The rest of his body remained standing. At the neck, which seemed hollowed out, I saw a dark channel leading to the inside of his body. No blood came, but only faint dark fumes. . . . The faithful A-ts-i was attending his general as carefully as a lady's maid. First, he took off the general's brocaded robe, then his armour engraved with golden dragons, then the bracelets and finally, he took off his two arms, close to the arm-pits, and placed them on the bed, also — one on the right and one on the left, like metal pegs serving to keep the different parts of a clock together. Then, the general having stretched out, the diligent orderly detached and put away in precisely the same manner the general's two legs, which continuous horse-back riding had bowed slightly. And the limbs, too, dropped noiselessly on the bed as if they were filled with sawdust. At this moment the lamp went out and I could not see the finish of this gory and extraordinary dismemberment.

« Staggering, I took flight and found my room. I covered my eyes with my sleeves in the Chinese fashion and barricaded myself behind some boxes; I remained thus, motionless, waiting for daybreak. Between the first and second crowing of the cock I felt an acute chill pass through me. I listened carefully: All the army was sleeping, without a doubt, for I heard no sound. At last I decided to open my eyes and get up. The dawn was breaking out . . . I had been sleeping in a rough thicket out in the open. In the distance the 'Yellow Country' stretched away till it merged in the horizon. There were in the vicinity unforgettable deformities of Chinese 'loess', a country of ditches and ravines, full of caverns, and dungeons that seemed to be haunted ruins, and yet were but freaks of nature. The deep blue of the sky was growing paler and behind me, in the distance, the mountains which I had crossed the evening before were becoming lost to sight. I studied the surrounding countryside closely: Not a sign of a human being, not a pagoda or a habitation in sight, not even a tomb. I resumed my journey and arrived an hour later at a little village consisting of those Chinese houses which seemed sunk into the fields, almost level with the ground. I had reached Tien Tshu Tan, at last. Here was the Catholic Mission, with its fine cooking, its good Alsatian Sisters and its lepers. I found Father Elemir, formerly professor at the University of Pekin. His kind and ruddy Western face finally took away the remainder of my fright and reassured me once more of earthly realities. Without mentioning any details of the previous night, I told him vaguely about the place where I had stopped. 'The region through which you passed,' said my learned colleague, 'was once the scene of enormous human slaughters . . . That was very long ago. . . . About the Han epoch. The old historians tell of a day, — about 200 B.C. — on which three hundred thousand people perished; they described how the famous general Hiang-Tsie was dismembered after the battle by soldiers, eager to win the prize promised in exchange for his life.' And Father Elemir added: 'You spent last night, without being aware of it, on a very ancient battlefield. . . . But I hope that did not keep you from sleeping soundly?' »

IV
Chinese phantoms

Two absorbing and ghostly anecdotes
as related to a young lady while
motoring

« There once was a time, » I said to Dorothea, while motoring,
« when ghosts were the fashion. Now the influence of the ghost,
especially the vampire ghost, is becoming weaker and weaker everywhere. Scotland and Ireland, two countries that once supplied the
entire world with them, have seen a distinct lessening in their exports.
The beautiful day of the Gothic castles, à la Walter Scott, is no more.
Ghosts, reactionary by nature, have left Germany in the wake of the
landed nobility — in spite of the immense and fictitious exploitation
that was made of ghostly chronicles by the German cinema. And if in
the United States one should hear once more the clanking of chains in
the middle of the night one might be quite sure that it was not caused
by any spectre but by a Ford returning home late at night.

« In Asia phantoms are numerous. But they are mostly the souls of
women who have loved love over-much during their lives, and these
ghosts do not appear except to very young men. »

« In Europe, they do not wait until they die, » observed Dorothea.

238

Chinese phantoms

I continued: « Japan has its phantoms — and Lafcadio Hearn has turned them marvelously to account — but they owe much to Chinese legend.

« The last ghost has fled from our all too material world and the phantoms have taken refuge in China, where they may sleep during the day and are still free to go abroad at night in a country where they are not frightened away by electricity, for the arc-light, which can make plants grow, chickens hatch and roosters crow, has scared the ghosts, who are very timid — very provincial in their notions and inveterate early-to-beds. »

I belong to a generation that does not believe in anything, neither in phantoms nor in anything else. Dorothea, who is ten years younger than I am, belongs to a still more immoral generation, because her generation pretends to have faith again in all those things which we have thrown into the discard, such as late-Victorian lace work, ships in bottles or miracles and things supernatural. Where is this mania for antiques and *bibelots* going to lead to! When Dorothea greedily insists that I tell her ghost stories, it makes me feel as if I were an old dotard, sitting in his accustomed chimney corner, and not an up-to-date young man, driving a motor with a pretty woman by his side.

« I am not a story-teller, » I said. « And to prove it, I am not going to build up an effective climax. Instead I shall start with the one which has the best idea. The story might be called *The two Peonies*.

« Under the Mongolian dynasty of the Yuans, it was a custom to illuminate the streets very brightly during the first five nights of the first moon. This is the period when the sky, at last rid of destructive, thunderous and long-brewing tempests, is revealed again in clear spaces here and there, like a beautiful garment freshly ironed out.

« Lamps as numerous and of a more reddish glow than the stars, big lanterns made from the bladders of pigs and embellished with large vermillion symbols virtually set the streets on fire. All those who had slept or worked during the day came out to enjoy the night air. The children ran about in the dusty streets; ladies of quality passed by, hidden in their blue chariots; young men and women strolled along, enjoying the bright lights. One night, about the fifteenth of the year Keng-tzen, a young student by the name of K'iâo was seated on the

239

verandah in front of his door watching the passers-by. He was sad, because he had just lost his wife, and he was contemplating the solitary life that was awaiting him, an old age without children, a funeral without relatives. It was past midnight and the crowd was dispersing. Suddenly the young man espied a maid-servant carrying a lantern which had two peonies painted on the sides and which lighted a path for a young girl of about seventeen or eighteen years, who was dressed in a red wrap which she wore over a blue dress. The girl was walking westward. In the light of the moon, the young man saw that she was very pretty, and his heart caught fire. He set out to follow her, then deliberately passed her to catch a better glimpse of her face. The girl noticed it. She turned her head, smiled at the young man and spoke to him.

« 'Although we had not promised to meet each other, it cannot be mere chance which brings us together in the moonlight...'

« Young K'iâo bowed and answered:

« 'Will you honor my cottage with a visit?'

« Without replying, the girl called to the servant, who was walking ahead.

« 'Come back, Kinn-Li-En', she said. 'Light the way for us...'

« The young man took the girl's hand and led her into his home. He asked her where she came from and what her name was.

« 'I am called Fu-Li-King', said she. 'My father was the judge at Hoa-Tshe-U. My parents are dead. I have no brothers. I live alone with my *amah*, Kinn-Li-En, in the Hu-Si quarter.'

« They spent several hours of the night together, taking tea and engaging in most affectionate pursuits. The girl left before the break of dawn. In the evening, after dark, she returned... Every night she returned.

« Shortly after, young K'iâo, who had been very careful not to tell anyone of his good fortune, received a visit from a neighbour. The latter confessed to him that, made curious by the comings and goings of the girl, he had spied on what went on and had peered through the slits of the door. There, to his amazement, he had seen K'iâo — yes, K'iâo himself — engaged in supping and frolicking with a person who had on her shoulders a rouged and powdered death's head!

240

« 'You have been entertaining a corpse,' he said. 'Take care, or some disaster will overtake you. In time she will consume your living spirit, or else some day she will breathe on you, and you know that the cold breath of the dead kills...'

« The young man, in his fright, made up his mind to go the very next day and verify the information the girl had given him of her own accord about herself. According to what she had told him he went to the Hu-Si quarter. There nobody knew Miss Fu-Li-King. Returning to his home he passed the famous pagoda of Hu-Sinn-Sen. He entered. He found an isolated room, decorated in black and gold lacquer, and there, on a raised gallery in the rear, stood a coffin, one of those temporary caskets, without doubt, in which the provincial dead await removal to a permanent burial place... K'iâo had paid no particular attention to it until his eyes suddenly fastened on the inscription: Fu-Li-king, daughter of Judge Fu, of Hoa-Tshe-U. By the side of the coffin stood a paper image, such as are used at funerals and which symbolize the servants of the deceased. The words Kinn-Li-En were written on it. That was the name of the nurse who on the first evening had accompanied his friend. As a final proof, there was a lantern in front of the coffin with two peonies painted on it. This last touch convinced him.

« K'iâo was a student, but he had a soldier's faint heart. He had no sooner made his discoveries, that he fled without once looking behind him. He hastened to tell his neighbour of the misadventure that had befallen him; that he had indeed been the victim of a girl phantom's amorous attentions.

« 'Do not pass again in front of Hu-Sinn-Sen's pagoda,' said the neighbour, who was somewhat versed in sorcery and such things. 'Nail this charm in your alcove, and I am certain that you will receive no more nocturnal visits.'

« He handed K'iâo some papers on which he had inscribed a Taoistic exorcism.

« And indeed what the neighbour predicted was so. All went well for a month. Neither the girl nor her servant appeared again. But one evening, having been successful in his examinations, K'iâo, celebrating his promotion in the company of some friends, had drunk too deeply.

He went reeling home, and forgot the warnings he had been given. He passed in front of the fatal pagoda and found Kinn-Li-En, the nurse maid, awaiting him at the door.

« 'My poor dear Mademoiselle has been longing for you for a long time,' she said. And she heaped K'iâo with tender reproaches.

« 'Come, let us go in!'

« Inebriated, K'iâo, the student, followed her into the pagoda — through the gallery, to the lacquered room. The girl, all paint and powder, was waiting, seated on the coffin. She opened her arms to him.

« 'You had forgotten me, ungrateful one,' she said to the young man. 'And I thought that I had pleased you... Did I not belong to you? »

« K'iâo, in his drunken state, received a thousand caresses and kisses — not on the mouth, though, which is the immodest custom among the whites, but in the Chinese manner, which consists of a noisy inhaling against the skin.

« 'And now,' she added cynically and with a grating voice which was strange to him, 'now I have you; I shall not let you go again! »

« She seized K'iâo by his coat. The slab of the coffin suddenly tilted and swallowed them up. Then it closed over them...

« Noting the young man's disappearance, his neighbour became anxious. A posse of friends started in search of the young student. Unable to find him, it was someone's idea to visit the pagoda of Hu-Sinn-Sen. There they discovered that a piece of a man's coat had been caught between the coffin and its lid. The priests were notified, and the casket opened. The corpse of a girl, intact, was holding in her arms the body of the student K'iâo, which was still warm...

« Now, it is generally assumed that a corpse which is not decomposed is a public menace. It becomes covered with white or black hair and turns into a vampire.

« It was decided that the presence of a vampire ghost had sullied the pagoda. The two lovers were taken to a vacant lot outside the city, beyond the fortifications, and buried there. Since that time, on stormy nights, belated caravans, arriving after the gates have been closed and thus forced to camp outside the city limits for the night, sometimes see

242

two shadows passing, preceded by a servant woman who carries a lantern that has two peonies painted on the sides... »

Dorothea was clapping her hands.

« And then...? »

« Then? That is all. The story also has it that those who encounter this trio are seized with a burning fever the next day. »

« That's just the sort of tale I like », Dorothea said. « In the first place, it starts as in real life: The girl makes the advances. What follows is sentimental and, at the same time, terrifying. Put Sherlock Holmes into the neighbour's place, — Scotland Yard; then a ghost arriving by motor, wearing rubber gloves so as to avoid leaving finger prints; dressed up in this up-to-date fashion it might easily make twenty episodes or a very nice *pièce de résistance* for Hollywood. And particularly the final fade-out: The *amah* recedes from view and only the two peonies remain on the screen... But your young man would have to be very good-looking. Women adore handsome spectres with black eyes... »

« Yes, but gentlemen prefer blondes », I commented, pressing against her, pretending that it was necessary for me to take a sharp turn in the road.

« I have another story », I went on. « This one was told me by a Chinese actor. When you are more grown up, Dorothea, and have found out that all stories of Chinese actors are improper, you will thank me for having gone no further than I will go with this one.

« This actor belonged to a travelling troupe of comedians whose financial affairs were in bad shape. The summer season at the *Great World*, Shangai's Coney Island, had wound up with an empty cash drawer. In short, each one of these actors was to take up winter quarters, to carry the beautiful embroidered dresses, the magnificent wigs, the false beards and the opium pipes to the pawnbroker's and to eke out an existence by those insignificant, more or less legitimate activities which constitute the supplementary occupation of a Chinese actor, when one evening a fast messenger arrived by rickshaw at the office of the theatre and said to the manager of the troupe:

« 'Your services are wanted immediately. You are to sing a comedy at a certain house outside the Nankin gate. The pay is very good.'

243

East India and company

« Presently the troupe was thrown into a state of mobilization. One went in search of the old actors in the opium dens, the acrobat was found in the pagoda where he had already started his retirement, and the women — for this troupe carried them, being a company of comedians — were brought back from the various cabarets where they were working very hard to entertain drunken old tradesmen. All these people, together with the stage settings and properties, were crowded into three Fords, and the city was left behind on their way to the place that had been described to them. Night was falling. They passed the American Schools, on their right. They crossed the French concession and reached the open country. Soon, beyond the collieries and gas tanks, there appeared a house with windows brightly lit and filled with a crowd of people. Although they were in the heart of a modern district, the house was of ancient design and its guests appeared to be poor and were dressed in wrinkled, old-fashioned clothes.

« When the actors had gotten out of the cars, a *duenna* appeared who said:

« 'The owner of this house is a rich heiress. She is the daughter of one of the big Shanghai rice merchants. Her name is Miss M'u. She desires that only love scenes be enacted before her and her guests and she requests particularly that no *djinn* (a *genii* of well doing) appear in the performance and that as little noise be made as possible, if you would be so kind, my dear comedians.'

« The old actor, who told me this story and who acted as stage manager, arranged his program according to these instructions. Under a shed and in semi-darkness they erected a makeshift stage. There was no electricity; only lanterns. The comedians sang from midnight to the break of dawn, without being assisted by an orchestra and without being offered either wine or cakes. A feeling of uneasiness filled the hall. . . . Nobody ever applauded. The audience was most extraordinary; neither the ladies seated in screened boxes, hidden by the traditional wicket, nor the gentlemen in the stalls, ever raised their voices audibly. They were all whispering, and it was impossible to understand a single word. Besides, the request not to have a *djinn* appear was contrary to all traditions of Chinese drama. The *djinn* is commissioned, in a manner of speaking, to keep order in this world and in the nether

244

regions. He is the enemy of spectres, escaped and vagrant spirits, foxes and phantoms with evil intentions, which all dread and avoid him. . . . At the same time he is an indispensable character in the Chinese theater, a sort of *deus ex machina*, without whom a comedy cannot very well be brought to a fitting conclusion.

« 'My comrades,' the stage manager said to me, 'were the same mixture of stupidity, professional solidarity and vanity which characterizes the calling of actors the world over. They plotted with one another to violate the injuction given. They gave the cue, and the *djinn* (that is, one of the actors in the rôle of that good spirit) entered upon the stage, brandishing his sword in both hands. This entrance was accompanied by a frightful din of drums and cymbals. There were flashes of lightning, and I thought the earth would burst open. At the same moment complete darkness enveloped us. Not another sound was heard. Day was breaking. . . .'

« The comedians, so the stage manager assured me, found themselves alone in some brush, before a tomb. They folded up their stage sets, gathered their properties and costumes as fast as they could, and when they reached the city again the sun was rising.

« People of that vicinity were questioned, but did not know what to answer. They had seen nothing; they had heard nothing. The only thing that could be learned was that the tomb, in front of which the actors had stopped, was the burial place of a Miss M'u, an ancient and famous actress of the latter part of the eighteenth century. »

V

The horse of Gengis Khan

Mysterious Mongolia leaves its imprint
in the life of a Parisian traveller

Erik La Bonn crossed the Great Wall of China at P'ing Fu and
headed in the direction of the Leng K'on pass. Mongolia lay unfolded
before him, flat as a board, into which, twisting like a corkscrew, the
little caravan was entering. This caravan was made up of horses,
mules, two blue carts drawn by mules, carriers, teamsters and the
traveller himself. Erik La Bonn was an eccentric young wanderer, as
independent as his long nose proclaimed him to be, and passionately
devoted to the open road. He was on his way from Peking back to
Europe on horseback, for he was much less afraid of perishing from the
cold than suffocating in the heat of the Trans-Siberian railroad
coaches. For days he had thus been on the march, all alone, singing
Parsifal to himself at the top of his lungs, his long legs dangling from the
flanks of his Mongolian pony; and since his was not a costume such as
one might expect to be worn on a trip like this, but a city-cut overcoat,
tight at the waistline, long trousers, a starched, stand-up collar and a
grey derby hat (which he wore on principle) he caused a great deal of
astonishment among the Chinese he met, and, of course, was taken for
a very high personage.

246

The horse of Gengis Khan

The caravan crossed rivers which proved great obstacles, being so sinuous that they had to be forded as often as fifteen times. Finally, they entered the Gobi Desert. They met Bactrian camels, whose thickening fur already heralded the approaching winter; soldiers on furlough, without pay, and who had eyes like wolves'; merchants sitting in their traps, accompanied by their wives, placidly drawing puffs of smoke through their waterpipes; missionaries of the Foreign Bible Society; sharpers who displayed great dexterity in the shell game at which the Mongolians stand ready to lose their souls and their dollars. One evening, being a little bored with these sights, which were always the same, Erik La Bonn had pushed ahead of his escort to visit a hunting pavilion, halfway up a hill, which had been built for the great emperor Kien Lung. He lost his way and found that he was alone in a desolate valley strewn with stones and boulders. For days, to be sure, there had not been any trees, but never until this moment had he felt the vast and naked grandeur of Asia. Even the beaten path had disappeared: It seemed that after several smaller paths had become entangled with it and spread it out in several different directions, the path had stopped of its own accord on the edge of a void — on the very brink of an underworld.

La Bonn did not know what fear was. He carried no weapons on his travels, except mustard, with wich, as he used to say, he defended himself during the day against the vile taste of the native cooking, and he sprinkled it on his bed at night to keep the vermin away. He had been told that bandits only held the rich Nomad families for ransom and hardly ever molested Europeans, so that he really dreaded nothing but the tenacity of the beggars and the smell of the Mongolian women. He stopped: around him nothing but debris of porphyrous rock, shafts of abandoned coal mines, and a blinding sun which set the dry autumn air on fire. Suddenly, some twenty or thirty yards away, he noticed a striking object lying on the ground; at first he took it to be a mirror. He went up to it and found it to be the skull of a horse. There was no sign of a skeleton. This skull was so white, so highly polished by many rains and winds, so perfect in substance, so strangely shaped, with its sloping indentation of the nose and the empty, horrible looking hollows of the eyes, — so religious almost in its stripped barrenness, that it seemed to date from the very first years of the existence of this earth. Erik La Bonn alighted from his horse and took the object into his hands; it was terribly heavy. For a long time this modern Hamlet, having placed the skull on his knees, lost himself in thoughts. Were these the last remains of some caravan which, overtaken by the fierce, salty winds, had perished there of thirst? Was this the last vestige of the mount of some departed Mongolian prince, in a red robe, repulsive and goitrous, a standard bearer or klan chieftain perhaps, sent to guard one of the outer bastions of the Great Wall? Or perhaps the sole surviving witness of some great battle, fallen here, cornered by the wolves? A horse! La Bonn thought of the days of Sung, when the horse was king, celebrated by all the poets, immortalized by the best artists, and to be found, either in clay effigies or in its natural state, in every tomb. The horse, without which none of the great migrations could have taken place! This immense, stony valley was only deserted now because its former inhabitants, the Mongols, the Huns and the Turks, had been able, thanks to their horses, to gain and conquer China, India and Europe. Gengis Khan had been the master of the world then, but the master of Gengis Khan was his horse.

Softness of the skin is a sign of youth, but the polish on the skeleton is proof of its great age. From the horse's skull, which had taken on the lustre of ivory, the flesh had, no doubt, dropped centuries ago. La Bonn let his imagination run riot, and, exalted by his solitude and the nimbus of such grand relics, he lost sense of time and space and fell asleep. He dreamed that he had found the head of Gengis Khan's horse and that he could never part with it again.

He was at last torn out of his dream by the arrival of his escort which joined him just about as night was falling and which he found prostrated on the ground as he awakened. The sight of that skull filled those men with a holy terror. He had his precious find lifted into the cart, and the march was resumed. The howls of wild dogs could already be heard; the smell of goatskins and smoke, carried over to them by the wind, proclaimed that a village was near. And in fact, a long wall of dried mud was outlined against the horizon, punctuated by dim lights. They were approaching Jehol, « The Town of Complete Virtue. »

The horse of Gengis Khan

He had to stop at a fourth-rate hotel — one of the kind that are called pork-taverns in China — because it was market day and all the other hostelries were filled. Goatskins were drying in the open air; their smell hardly obscured the stench of manure and sewage which ran openly down the middle of the only street. Pelts from Dzingary were being lifted onto the backs of camels by great big devils in blue tunics; a Chinese checker in yellow coat and hat traced characters in Chinese ink on the reverse sides, directing the pieces to a port on the Pacific Ocean, en route to America.

The servants prepared the bed in the guest room. La Bonn was waiting for his dinner to be cooked, which consisted of millet cakes. He had affixed the horse's skull outside of his room; it was soon surrounded by a crowd of curious people who contemplated it awe-struck and with fright. Women with flat and otherwise deformed feet came to have a look at it; beggars' dogs with a scowling expression, their hair standing on end, yellow lamas with shaven heads remained to mill about the strange fetish of the white man.

It was plain that the indifferent and skeptical Chinese had been left far behind, that one was in the midst of those superstitious and wild Mongolians, sons of a country particularly given to magic and all sorts of devilish practices. Soon the crowd became so large that the court-yard of the inn was completely filled. The pork bladders, which served as lamps, were lighted. At just about that time the clandestine opium vendors and the managers of the Jehol theatre sent a delegation to make a complaint that the resorts of pleasure were empty and to request that the stranger go to his room and kindly remain there.

The next day, after having left his calling card at the governor's — leaving one's calling card is regarded in the Orient as a propitious rite and is a rigid requirement of good form — Erik La Bonn went to the temple. This was another monument of dried mud, of no definite epoch, located outside the town, in the midst of a dirt and refuse dump. There Buddha smiled. La Bonn was received by a priest who was half doctor, half sorcerer, clad in yellow silk; quite a pleasant person. In the usual roundabout fashion La Bonn put several questions to him. He had him asked if in these parts any particular faith or belief was attached to animal bones, more specially a horse's skull. The answer

249

that he received was that every kind of skeleton was a dangerous abomination because the greedy souls of a body are always hovering about it in order to reincarnate themselves. A horse's skull had often enriched its finder, but caused his male progeny to perish. Women pregnant more than five months should stand in fear of it. However, everything depended on the day on which the object had been found.

Last night . . .?

That was one of the very worst days, said the lama. One of the most dreaded on the whole calendar. Although prayers might yet be said, before nightfall, still there was little hope. There was really nothing else to do but to fly before the invisible, to fool the demons, or to burn the skull. La Bonn shrugged his shoulders at all this nonsense and gave orders to have his find attached to his saddle. And from then on the horse's skull never left that place.

Thus he travelled through central Asia. An invisible protection seemed to emanate from the skull: Bandits never came near the caravan; nowhere was hospitality refused. La Bonn was allowed to wash in the sacred hot springs, and when he reached the country of the great pastures he always had his share of fresh meat and almost every night he found a wooden bed under those strange tents of the nomadic Mongolians, quarters made of such thick felt that they were as hot inside as one of those Norwegian cookers in which food can be boiled without fire. When he met lamas, bent on pilgrimages to Thibet, they honoured him by offering him tea. Every evening La Bonn hung the skull outside of his tent on a pole driven into the ground.

The reception was not only cordial in Mongolia, but was equally friendly in Turkestan, in Kokand and Bokkara. The religions, the customs and the colour of the skins changed, but the horse's skull continued to receive the respect of everyone. The population became gradually Moslem, welcomed La Bonn as no European had been received since the arrival of the Bolsheviks. Even the customs inspectors let him pass duty-free.

One evening La Bonn arrived at the *Gare de l'Est* in Paris with the skull of Gengis Khan's horse under his arm. Sentimental effusions, accompanied by verbose lyricism, gushed from him whenever he talked about it. However, he spoke of it seldom, for those people who were slaves of petty habits, jostled about in narrow streets, boxed up in ugly, tall houses, have not the least understanding for the beauties of the steppes and the life of the nomad. La Bonn could not find an apartment and so had to content himself with a small hotel room in the *Quartier Latin*. In it there was a Louis-Philippe bed — much too large — and a mirrored cabinet, so that he could hardly open his wardrobe trunks. First he put the skull under the dressing table, then on the mantelpiece. This relic, as majestic and provoking as it had been when he found it back there in the glistening dunes of the Gobi Desert, had become nothing more than a piece of refuse from a butcher shop, in Paris, a skeleton for a rag-picker: the dust had made a shabby object of it, turned it a grey colour. But La Bonn did not have the nerve to get rid of it, nor even confess that its possession embarrassed him considerably.

An Englishwoman, Lady Cynthia D., heard about the horse of Gengis Khan and became exceedingly interested in the subject. As a matter of fact, she was only interested in the young Frenchman, but she begged La Bonn to entrust to her that which remained of the Mongolian courser; she said that she would hang the skull over her bed. Through the eyes of the skull she put blue ribbons which came out by the nostrils, thus robbing the dramatic relic of its last mystery. La Bonn had to restrain her from gilding it. Two days after she had hung the horse's head over her bed, Lady Cynthia was lying down when a great noise was heard in her room. People entered and found her bathed in her blood. The cursed thing had detached itself from the wall and had split the head of the young Englishwoman in two. She only recovered after a great amount of suffering. She did not want to hear any more of the horse's head nor of its owner, and after this accident the horse of Gengis Khan went back to *Quartier Latin*. La Bonn kept it for some time, but on the eve of a journey entrusted it to a retired deep-sea captain, who was an invalid. This simple man — although grown more imaginative since he had been compelled to lead a sedentary life — had waxed enthusiastic over La Bonn's tale and had asked for the privilege of keeping the skull during the absence of his friend. The much-travelled La Bonn then began to receive strange letters from the captain which became disquieting, and finally totally demented. He was just preparing to return when he learned that the old mariner had been found one morning suspended from the window fastening. On the table, in plain view, was the horse's head. La Bonn hoped that the captain's heirs would inherit it and took pains not to give a sign of life. But on the very next day after his return he received a call from a notary who informed him that he had been made the captain's sole heir, and that the skull would be returned to him so soon as the seals had been broken. Then these things happened: A little later La Bonn gave it to a painter for a still life, but the latter's studio burned down. He gave it to a raffle, but the number that should have won it was never presented. People began to know the history of the skull. The servants did not dare enter the room any more on account of the « haunted head, » as they called it. It seemed indeed that all the mishaps which the heavens had spared La Bonn and which, without dropping, had remained suspended over his head, and the strange immunity which he enjoyed, were suddenly interrupted as soon as the skull left his hands. He did not dare destroy it for fear of some curse befalling him. He could no longer risk giving it away for fear of participating in a crime.

« Alas! You, the last remains of the companion of the greatest conqueror the world has ever known », thought La Bonn, « perhaps there is nothing you fear more than rest. Perhaps you are anxious to escape from among these sedentary lives where I have put you, to regain your freedom? And is that the reason why you perpetrate all these crimes? Perhaps what you like in me is a taste similar to your own, for a life which is a continuous journey, a passion for moving on to always new countries, and climates which are never the same? »

It was night, and La Bonn, thus soliloquizing, looked from his bed at the horse's skull which the light of the moon was illuminating with a soft silver glow which had nothing earthly in it and seemed to resemble the colour of infinite space.

La Bonn knew the moment had come. It would be now or never. He put an overcoat on over his pajamas, took the skull on his shoulders and went down to the street; it weighed a great deal. Soon it was necessary to carry it in both hands. Finally La Bonn reached the bridge

The horse of Gengis Khan

de l'Alma. A cold wind was blowing, which reminded him of the great winds of the steppes, The Seine curved gently as it flowed past the *Trocadero*, the two towers of which were outlined against the sky, darker than the night. After ceasing to be royal a little further up, as it passed in front of the Louvre, the Seine now abandoned itself to romantic gracefulness as it flowed on to Passy. Erik La Bonn placed the skull on the railing of the bridge. He was thinking of the great Siberian streams, of the torrents of the Chinese river *Altai*, of the Mongolian tributaries swallowed up by the salty and thirsty sand. . . . How small the Seine was, how shallow for such an adventure, — such an end! But is there ever an end of anything?

The electric lights lit up the river and gave it a rose colour, like those face lotions they sell in beauty parlours. . . . La Bonn thrust the skull out into the black void . . . There was a silence. Then a splash. Evidently its great weight will make it sink straight to the bottom. . . . But no. . . . A miracle! The skull floated! Yes, that heavy object actually floated, carried along by the current like a piece of paper. La Bonn saw distinctly how it took the middle of the stream, then gently sheered off to the left, following the bend of the river.

Gengis Khan's horse, that gem of the Mongolian steppes, had started out again. Where would it go? Perhaps it would be stopped tomorrow by some obstacle, by a fisherman, by the hands of a child? Or perhaps, free to gain the open sea, it would become a strange seahorse. Would it ride about the dungeons of the sea, — with the taste of salt, — the same taste as that of the great Mongolian desert, which still clings to the memory that it was once a sea?

VI
Chu-Ti of Canton

An innocent flirtation involves a traveller in a maelstrom of Chinese politics

We left China shortly after the disturbance in Canton had reached its climax. The communists were masters of the city and the river, and when we put into port at Hong Kong, the city was overflowing with Christian refugees, missionaries, silk merchants, Parsee and Arabian intermediaries, and dubious people of all races, who, for once, were outmastered and had taken to flight. Our ship was so crowded that, although I had the experienced traveller's trained eye, I did not know there were Chinese passengers on board, travelling first class, till four days later, when we made a stop at Saigon. It was not until shortly before we arrived in Singapore that I noticed a high personage, surrounded by secretaries; it was General Ku-Tchong. The General was about thirty years old, tall, beardless, with a small, black drooping moustache, like a seal, and a flat face. His appearance did not bespeak a high intelligence. He was in charge of a mission which, like most Chinese diplomatic missions, did not seem to have any definite purpose. Without doubt the object was to remove a certain number of distinguished persons from China for a period of months, and for this purpose give them a certain allowance from the state revenues. Who were these people? No one on board ship could give me any information.

One evening, at the hour when everybody gathered on the forward deck to be part of the audience attendant upon a performance of Nature's — the sunset — I saw Miss Chu-Ti in a group of Chinese attached to the Ku-Tchong mission. She was a Chinese, dressed in a long white robe, wearing over it a short, pale blue jacket. Her hair was short and so slicked back with cocoanut oil that one might have said it was painted with a brush; the eyebrows had been removed and a painted line replaced them. The sharply contrasting fullness of her carmine lips stood out on the background of a strangely pale complexion. As for the rest, the nose with scarcely bulging nostrils, the eyes, so drawn and narrow that one could hardly see them, were set in the same plane as the velvety, white face. Where could this ravishing Chinese girl have hidden herself for the past two weeks? I made my approach as well as I could, but General Ku-Tchong was distant and spoke only in a southern Chinese dialect so that I could do no more than have a chat with the secretaries, who, for their part, could not assume the responsibility of imposing such an indiscreet European as myself upon their chief. I was partially successful, in that I learned the name of the pretty Chinese, Miss Chu-Ti, and learned as well she was the mistress of the General. She came from a respectable tea-house in Shangai, knew more than two thousand poems by heart, varnished her finger nails every day and, inasmuch as she suffered from seasickness, seldom came up on deck. But the thing that astonished me so much was that she apparently was the object of extreme consideration on the part of the other members of the mission. At each port a fresh supply of provisions, mangoes, *liqueurs* and flowers was brought on board for her. At Colombo, the General returned with a handkerchief knotted at each corner and filled with precious stones; at Aden, he returned with an iron box full of ostrich feathers; at Djibouti, with white corals.

Several evenings after I had noticed Miss Chu-Ti for the first time, chance would have it that an *attaché* of the French consulate at Ceylon, who had been at Yunnan for a long time and spoke Chinese, came on board. I asked him to present my card officialy to General Ku-Tchong with a few words of polite greeting. I was French and bent on a diplomatic mission, the same as he was. The boat we were traveling on belonged to the *Messageries Maritimes*; I could, therefore, take this initiative, without fear of offending convention. No sooner done, when the General invited me after dinner for a glass of *champagne* in the bar on the after-deck. We exchanged the usual polite phrases, and our calling cards with much formality, but Miss Chu-Ti did not appear. For several days I did not have any luck seeing her. But one night — a typical night on the Indian Ocean — stifling hot, full of pale and green stars — I was walking the deck, not being able to sleep in my badly-ventilated cabin. I was leaning over the railing, watching the phosphorescent spray flying off the prow of the ship like a shower of gossamer silver coins, when I became aware of the presence of Miss Chu-Ti. She also had come up to get a breath of fresh air. She was alone and I went to meet her and spoke to her. She knew a little pidgin English and I knew a few words of Chinese. Presently we had laid the foundation of an innocent flirtation.

Did she like to dance?

Passionately.

Could I do the Charleston? she asked me.

I could not, but nevertheless had the nerve to say that I was a past master of it.

I went to fetch my gramophone from my cabin and on the deserted deck of the sleeping ship I gave her (and also myself) the first lesson. From that time on Miss Chu-Ti came often to the deck. Never in the morning; but, at the tea hour, she would make her appearance, every day in a different dress. It was a veritable floating exhibition of all the silks and all the colours of China. Occasionally she came down for dinner, and then she astonished the other passengers with her dresses of rose or green silk, as fragile as a design on porcelain, shaded as delicately as the paintings of Sung, with her small feet ensconced in satin slippers, and on her head a tiara made of kingfisher's feathers. Her eyes were painted with great care — full-blown, black flowers in porcelain vases of pale blue. Her shaved eye-brows, drawn over again, placed on her forehead much higher than the real ones, lent her face a serenity equalling that of Kwa-nonn. Yet, however she may have looked at other times, I felt that from under her puffed eyelids which stood out as if in high relief, she often shot quick glances at me, more glistening than the surface of oil. One evening, after having again indulged in some *champagne* with the General and the ship's captain, emboldened by several ice-cold glasses which I had poured down when I was very warm, I seized Miss Chu-Ti by the wrist and started to dance with her in public. The Chinese General gave some signs of nervousness, that is to say, the colour of his temples changed ever so slightly and his right nostril quivered twice. But his young mistress must have reassured the General behind my back, because he never ceased smiling and never made any move to interfere. He even asked me to come down to his cabin to partake of a drink. It was tea — a green, perfumed and bitter tea — drunk amidst Innovation trunks, bamboo valises, Japanese lacquer boxes and revolvers. Chu-Ti's cabin connected with that of the General. On the table, facing each other, were two typewriters, carbon paper, Mauser automatics and a box of opium of the Indo-Chinese *Régie* brand. Every cup that was offered provided a pretext for new salutations.

The General asked me if the *Moulin Rouge* was open, how many stories the Eiffel Tower had, if it were true that there were elevators on each of its four corners and if I thought that the President of the Council could receive him as soon as he arrived in Paris. Chu-Ti who had let us alone at first, entered. Never had I witnessed so much gracefulness, so many artifices; never gazed upon a more seductive face. She was seated on a low stool at the feet of her lord, the General. The way I envied the latter made me realize that I was in love with Chu-Ti. Never had such a mixture of perfumes arisen from one woman at one time. They filled the small *cabine de luxe* with those Chinese perfumes which, like their wines, have a fruity taste — lime, bitter almonds or orange peel. I began to talk politics and asked Chu-Ti what she thought of the present revolutionary movements in the South of China. She answered me casually that she was a woman and that she understood nothing of politics. Shortly after, one of the secretaries of the Mission entered. He brought a radiogram and asked for instructions. The General made a show of reading it. I could see that he did not understand the contents. He handed the message to

257

East India and company

Chu-Ti. She got up and typed a lengthy answer. There must have been enough words in it to cost a hundred dollars. She opened her satchel and took from it a code book. I thought it would be polite of me to withdraw; but from that day I had my doubts about Chu-Ti being as ignorant concerning politics as she had claimed to be.

On my cot, before going to sleep, I lay thinking of Chu-Ti for a long time. The expression of deference I had caught in the secretary's eyes when looking at her, General Ku-Tchong's helpless and stupid attitude, gave me the impression that the soul of the Mission, its real leader, was she. If she had been one of those intellectual Chinese women, in knickerbockers, educated in American universities and wearing glasses, I would have had no difficulty in understanding it. But this was not the case at all; on the contrary, she was, without a doubt, plainly a courtesan; one of those Shanghai « flowers » whom one can see, luxuriously kept by the tea merchants and the big opium smugglers' driving in their Cadillacs or varnished rickshaws around the *Bubbling Well* in the summer at the hour which brings the refreshing coolness of the evening.

Little by little I felt that the invisible threads of an intrigue of Far Eastern politics were being drawn tighter and tighter around me. Outwardly, the General treated me with great consideration. From the moment when he realized that I was not indifferent toward Chu-Ti he made it easy for her to be with me.

Chu-Ti, I must admit, seemed well enough pleased with me. She laughed at the things I said, at my stuttering attempts in the Chinese language, and she asked questions about Europe, which she had never visited. She disapproved of the Kommittang movement in Canton, for the reason that her father was a mandarin and a literate. She asked me to give her an address where she could buy polish for her finger nails. Having nails shining like crystals apparently was her greatest happiness. One morning I found all my Chinamen crowding around the radio office: bad news had arrived.

There was a certain number of young Europeans travelling on board our ship who were interested in Chu-Ti. As it often happens when travelling on a boat, I had aroused some jealousy. A few of the rumours that were circulated reached me. I was given to understand that my Chinese friends, who represented themselves as siding with the Pekin government, were, as a matter of fact, known to be connected with the most radical sects in China. Yet, knowing the fever for controversies, the spitefulness and calumnies that long ocean cruises give rise to, I put little faith in what I heard. I continued paying court to Chu-Ti, although, I must say, without ever gaining the slightest advantage. But I learned from the stewards and the cabin boys on deck that she locked herself up in her stateroom every night, copying stenographic reports; that, in fact, her behaviour was quite above reproach. This served as some consolation for me. One evening I had stayed up late, playing poker, and was on my way up to retire to my cabin, when curiosity prompted me to make a detour over the top deck where the *cabines de luxe* were located. We were crossing the Red Sea then, and it was very hot indeed. The cabin portholes had been left open. I risked a glance through the one which opened into Miss Chu-Ti's room. The electric light had been left burning and, in order to make a draft, the door also had been left ajar. A fan was purring away. Chu-Ti was lying on her bed asleep. Through the transparent high-necked silk *crêpe* chemise, which was modestly fastened with little bows on her shoulders and under her arms, I could see her slender child-like body. With her short hair, she almost looked like a young boy, asleep. A fountain pen had been left lying on the bed and had spilled some of its ink. Chu-Ti had been overtaken by sleep in the very midst of her work. A fairly large book was lying on her stomach; I bent forward to have a look: It was a dictionary, one of those French-Chinese dictionaries gotten up by the Jesuits at Shien-Sien. Looking more closely I observed that apparently Chu-Ti's task had been to enter into this dictionary in ink certain words which were contained in a thin rice-paper memo book which had dropped on the floor; the draft from the fan was playing with its leaves, making a noise like the rustling of stiff silk. How beautiful she was, lying there like that! And how desirable! I came in from the deck and went along the passage, thinking that I would risk a glance into her cabin through the curtain over the door, so as to have a better look at my pretty little friend. My steps made no sound on the rubber mat of the passage-way. The ship was asleep. When I had walked around and had reached the corridor into which

259

East India and company

her cabin opened, I noticed a white object at my very feet. It was the rice-paper memo book which I had seen but a moment ago lying right on the carpet of her stateroom and which the draft from the fan must have blown out to the passage entrance. My curiosity was stronger than all other instincts; so I bent down, picked up the thin notebook and hastened away.

When I had reached my cabin I put the papers under my pillow. The writing on them was Chinese. The next day I borrowed a small and very bad dictionary of the Mandarin language from the ship's library and attempted to decipher the contents. However, I could not make out very much. Apparently it was concerning very obscure instructions. Concentration centers and meeting points for certain groups were indicated by a system of numerals. I should say that it was a sort of a mobilization plan, written in code. There followed lists of names of Chinese societies in Paris and in other parts of Europe. The whole business seemed rather foolish to me like all politics concerning open or secret societies of Chinese in foreign countries. I put the notebook away amongst my papers with the intention of giving it eventually to some of my friends in Paris who were interested in the internal affairs of China. But in all the bustle and excitement of my arrival in France, I forgot all about it.

I had been back in Paris for three weeks and gradually had stopped thinking of Chu-Ti, because it had been her appearance, her lithe outer shell which attracted me, rather than her intrinsic personality. But one evening, as I was dressing for dinner there was a loud knock at my door. A Chinese handed me an envelope which had these words written on it in vermillion: « The French Mandarin is requested to follow the chauffeur who is bringing this message and to come to see me without losing one moment's time. Signed, Chu-Ti. » I did not hesitate and, in order to see my beautiful friend again, I gave up my dinner engagement. I noticed that this chauffeur, although he was a Chinese, seemed to know Paris very well. He went by way of the *Invalides, Avenue du Maine* and the *Porte d'Orleans*. At Villejuif, after having followed the road to Fontainebleau, the car turned to the right, passed through a gate and stopped in a court. I followed my guide across a suburban garden which was littered with rubbish. There was a pavilion. A little door led into it which was opened with a prison key almost as large as the door itself. On the second floor, there was a room decorated with Chinese silks. Chu-Ti was there reclining on a mattress, smiling, her neck, her arms and her feet bare.

« Chu-Ti sent for you, companion of my ocean voyage, » she said, « because she loved you very much, — but only as a friend. By rare chance she is free for this entire night. The General is on a trip with all the other members of the mission, so let us talk, just like two good friends. »

« And was that your only purpose in . . . »

« Yes, my only purpose. »

« No, Chu-Ti, I feel distinctly that you have something else to say to me. Is it perhaps a secret? »

« . . . Perhaps. But I cannot speak of it before the night is spent. Yes, it is something that concerns you. Something very serious. Let the hours pass. Or is it such a hardship for you to be resting here, close to me, your head on these hard cushions, enveloped by this sweet smoke . . .? »

She handed me a silk robe and I stretched out on the matting.

. . . When morning had come, Chu-Ti got up. She half opened the window and bent over me. A fresh breeze blew into the room. One could hear the empty wagons of the truck farmers, who had just sold their vegetables in Paris, rumbling along on the Louis XIV cobble stones on the Fontainebleau road.

« I have asked you to come here », said Chu-Ti, « because I have a feeling of friendship for you, and your life is in danger. »

« In danger? »

« Yes. And through your own fault. Were you not so imprudent as to keep in your possession those papers which disappeared one night out of my cabin? Did you know that you have been watched all this time? »

I blushed and did not know what to answer. I acted as if I had forgotten.

« Did you read those papers, — or did you have somebody read them? »

261

East India and company

« ... I cannot recall ... No, you need not comb the ocean for them; they are still in my possession », said I.

« There are political documents of the greatest importance to us. You were seen picking them up. We had to have them at any price. When you come home don't be surprised that your apartment had been entered during the night. I wanted to prevent your being there. I was afraid that you might offer resistance... and that it might cost you your life, for I knew that our men were determined and would stop at nothing to regain possession of those documents.... Now », she added smiling, « you may go home in peace. The thunderstorm has passed... at least so far as you are concerned. »

I returned to my apartment. I fully expected to find a crowd gathered on the street under my windows. There was not. The *concierge* showed no signs of surprise. The door of my apartment was locked as usual. Not the smallest knick-knack had been disarranged in my sitting room. When I entered my bedroom I thought that I was dreaming, for, although the windows were thightly shut, I keenly felt the fresh morning air in the room: A square had been cut very neatly in the window pane and taken out with the aid of soft wax; it was lying on the floor. My lacquer box, where I usually kept all my papers filed away, had been broken into. Chu-Ti had not told me a lie. I had been the victim of a regular burglary, and the nocturnal visit had come off at the appointed hour. They entered my rooms without much difficulty from a neighbouring balcony; this they reached by a drain pipe which extended down to the street. I put together all my scattered documents: The little rice-paper notebook had disappeared.

I carefully refrained from making a complaint and I did not tell of this adventure to anybody until one day, two weeks later, an inspector of the Department of Justice called on me. He asked me if I had entertained any relationship with certain Chinese whose names he mentioned. I did not know any of them. These Chinese had been arrested a few days ago, as they were marching on the Chinese Legation in the *Rue de Babylone* at the head of a mob. They had entered the minister's office, cut the telephone wires and forced the representative of the Pekin governement to sign a document which would make him a member of the communist party. Notified in time, the French police had interfered and had arrested the leaders, of whom . . .

« The last Chinese that I have been in contact with », said I, « were members of an honourable, official mission . . . »

« Are you referring to General Ku-Tchong? » asked the Police Inspector.

« Precisely. »

« And his companions, — and Miss Chu-Ti? »

« Yes, I referred to her also. »

« It was known to us », said the inspector smiling, « that you were on excellent terms with them. »

« How did you know that? »

It appeared that when they searched the little house in Villejuif they had found a telephone book, and in it my name, underlined in red.

I then spoke of Chu-Ti and of the Mission, couching my statements in careful terms, yet without hiding anything. The Inspector was taking notes.

I even told of the night which I had spent so close to the young girl, and yet in such purely friendly relationship, out in Villejuif. By and by, I recounted all the details up to the time of my return to Europe. I even ventured to touch upon my love for Chu-Ti. The inspector smiled. He took notes; he was always taking notes. He annoyed me. I began to question him in turn. He was from the South of France, and he, too, had a great desire to talk.

« Sir », he said with great show of authority, « you need not have any doubt but that you fell in with a gang of most dangerous Chinese communists; particularly dangerous to those of their countrymen who did not share their political opinions. They all had been travelling on false passports and under assumed names. The one whom you thought to be the General Ku-Tchong is a graduate of the Canton Lycée with a university degree and the instigator of a number of terroristic conspiracies in the United States. While his accomplices were drugging you with opium and lulling you to sleep with music at his haunt in Villejuif, your host had several former ministers taken prisoners. The fake general had a part in the kidnapping and punishment of the Chinese general who was hiding in the London fog — and also his subsequent murder. Without doubt you read the account of this sensational occurrence in the papers. He also had a share in the robbery of the Mongolian Bank. As to the young person with whom you were pleased to entertain a courtship . . . »

« Has any misfortune befallen her? »

The inspector looked at me and hesitated.

« Her enemies accomplished their revenge . . . She was found yesterday, in the room where she indulged in her opium pipes, — murdered. »

I got up; I thought I was choking. I rushed for the open window. The inspector stepped between me and the window. He was snickering.

« I can see now that you have been marvelously tricked by... »

« By whom? »

« By this young man. »

« I fail to see how any young man has anything to do with this. »

« Nevertheless, there was one. A very handsome one too. »

« Explain yourself. »

« Your supposed Chu-Ti never was the favourite of the communist Ku-Tchong, alias Lia-men-ho, formerly a bandit, then executioner and finally political assassin. Your Chu-Ti was not a Chinese girl at all, but merely another Chinese communist. He had been strictly forbidden to lift his disguise to anybody. His rouges, perfumes and simperings all were calculated to work their seductive charms upon certain people and lure them into certain snares set for them. . . For one reason or another, probably because he had taken a real liking to you, the ex-miss Chu-Ti, or to be more exact, Ah Tung, young college graduate and terrorist, saved your life by keeping you from being present during the raid on your apartment. You caused those people much concern. You were keeping in your possession a copy of their plan of action in Western Europe which was to start by taking possession of the legation in the *Rue de Babylone* and was to be followed by murderous *attentats* in London and Berlin. That plan is now under seal at the Paris police headquarters. Their safety demanded that this plan should not remain in strange hands, and they would not have stopped at using forcible measures to regain possession of it. »

« It is always sweet to owe one's salvation to a woman », said I, « or at least to somebody whom one believed to be a woman. »

« It is only faith that saves us, Sir », remarked the inspector.

For a long time I was thinking of the pretty Chinese girl whom I had noticed for the first time on a certain evening on the Indian Ocean. It did not seem possible to me to think of Chu-Ti in other terms, despite the truth that I had just learned.

« Poor Chu-Ti! » I exclaimed.

This time the inspector gave me a look, not devoid of severity.

VII
« The abduction from the Seraglio »

The fate of an English traveller in the Orient, who kidnaps a sacred dancer

The Hon. Percy Insell had arrived just in time; the performance was about to commence. He sat down on a gold and red plush chair which reminded him of the Coliseum and at the same time of Buckingham Palace. He bumped into a copper vessel with his feet; believing that he had dented the headpiece of some high dignitary he was ready to offer excuses. When he found it it was only a betel-root spittoon, filled with a reddish juice, his heart was greatly relieved. In front of him was the orchestra, that is to say, there were about thirty musicians crouching on the floor. The room was a large hall, giving no evidence of originality in design; it was as bare as a garage, only hung with the two-coloured flags of the kingdom of Indrapura. To the left a verandah opened up into the night; a stifling night, punctuated by lightning and the unrefreshing downpour of equatorial rain.

Invited to this charity entertainment by the wife of the British *chargé d'affaires*, the Hon. Percy Insell was now making a survey of his surroundings in the shadow of that diplomatic Venus, who was as imposing as a *baobab*. At the right the royal box protruded, more richly decorated than the stage itself, bedecked with the personal banners of the King of Indrapura. These were red, with a scattering of black serpents, a totem symbol. Above it there were four golden parasols, which were round and nine layers high; they surrounded an empty throne, for the sovereign had not yet arrived. The audience was composed of high dignitaries, with skin the colour of ginger-bread; supreme functionaries, with rose-coloured turbans; the diplomatic corps and several merchants.

The *aides de camp*, in gala uniform, with red waist-coats, ablaze with gold dragons and military decorations, their naked legs sticking out from very wide yellow silk trousers, were dashing about. The ladies of the court had their faces uncovered, for the kingdom of Indrapura is Buddhistic and not Moslem; their faces varied from a pale amber shade to a very dark brown; their large eyes had no white underneath the eye-lids; their hair glistened with cocoanut oil and its blackness contrasted with the mali flowers, a sort of hyacinth, which they wore at the nape of the neck. In keeping with their generation and their ages they all, more or less, were victims of European fashions and the devastating influence of motion pictures. Insell was sorry to see them in *décolleté*, wearing loose and draped dresses and walking on heels *à la Louis XV*; only the older ones seemed to have remained loyal to naked heels and paint: a make-up of white chalk; and still wearing those narrow tunics of Java, with a saw-tooth design at the sides. Jewels imported by alluring merchants from the *rue de la Paix*, or rather the *rue de Rivoli*, had not deprived the women of the beautiful, clouded and unusual pearls of the southern islands, or those beautiful black sapphires which are able to cure the bite of a cobra.

Percy Insell sighed deeply. So the Orient, as it was in the marvelous stories he had read, was really a thing of the past! But before it disappeared entirely he felt like surrendering himself to its magic — like losing himself in it. He wished to know one of these mysterious women whose enchantment made him so uneasy. What was the warmth of their skin? What were their kisses like? He asked himself these questions, without realizing that kisses do not exist in the Orient.

He tried to get some information from his countrywoman.

« May one expect anything from these local beauties? »

« Nothing. These ladies are very strict; they leave the worry of not being so to others. »

« And . . . the others? »

« I would not recommend them to you », replied the wife of the *chargé d'affaires* with a quite maternal solicitude.

Percy Insell had arrived from India and, before going on to China, had stopped off to visit Indrapura, which is neither China nor India, but a little of both. He was travelling purely for educational reasons, choosing a method of learning which takes the longest time, costs the most money, is the most inefficient and the most agreeable of all. It is not difficult to understand why the English prefer it to other methods. Insell, this young wanderer, was in 1926 the exact prototype of the Oxford boys at whom the French and Italian novels of the Renaissance and the seventeenth century had already poked fun; the same clumsy speech, the same slicked down hair, the same desire for knowledge, tempered by *naïveté*, and on his cheeks the same blush which caused old Pope Gregory I to say: « They are not Angles but angels! » — *non sunt angli sed angeli.*

Percy Insell spent lavishly the money which his father, a big ship-builder, had made on the River Clyde in the bygone days when England was still building ships.

He tried to combine love and comfort — those brother enemies — a most difficult task in the Orient; but like a parachute jumper he was restrained in his descent toward the baser pleasures by bashfulness and inexperience. During his two months' stay in India, being a true British subject, he could not conduct himself otherwise than in the manner of a carefully supervised Eton boy or a 'varsity man doing no more than taking a train for London. That is why he hoped that now, in the kingdom of Indrapura, far from official British eyes, fate and women would be more propitious to him. Upon leaving Europe he had naïvely imagined, as everybody does, that Asia, the classical country of amorous enchantments and lascivious pleasures, would open her arms wide to him. To his great astonishment he found nothing but great modesty and perfect behaviour. Spartan purity was being displayed everywhere. Still too young not to be misled by appearances, he could not get away from the fact that he had been deceived in this point and was disconsolate in the prospect of returning home one day without having anything particularly scabrous to tell at the table of the *In and Out Club.*

« But what about these dancers? Is there no way of approaching them? »

« What are you thinking of! Do you want to see us all massacred? Like the swans in the sacred ponds and the white elephants, the dancers belong to the king. They live a cloistered life and nobody dares come near them. »

At that moment there was a tremendous upheaval in the royal box behind the screen. Remaining absolutely invisible, like all the sovereigns of the Orient, the King who had just arrived, was sitting down in his chair, and the performance began.

On each side of the stage two gilded screens made a passage-way through which two pyramids of red gold advanced which for a moment appeared to be leaves of the screens. The music became subdued. These were the actors; at the right, a man, at the left, a woman. They had flat, immovable, moon-like faces. White zinc had been applied to their hands and feet, not directly on the skin but on a saffron ground. On their cheeks was a touch of that daring but usual Chinese carmine. Costumes of warm gold, which had no hooks but were sewn right on their bodies with waists as tight fitting as in our latest evening gowns, gave them more startling outlines than if they had been nude. On their heads they wore conical tiaras with golden flaps which covered their foreheads and coiled around each side of the temples. Side by side the two actresses (for the rôle of the man was also taken by a woman) advanced for a ceremonious greeting, prostrated themselves, their hands outstretched, their palms cupped. Carried away by this novel and beautiful sight, Percy Insell turned toward the Europeans seated about him. He saw livid, perspiring faces, anaemic from the climate, bilious eyes, accepting with a bland expression this new homage paid them by the young yellow goddesses, showing plainly that they were only bored and annoyed. That filled him with indignation. The little dancer on the left excited him. Nobody knew her name. Insell grew restless on his gold and plush chair. The wife of the British *chargé d'affaires*, always on the alert to avoid a scandal, looked at him; she decided to make allowances and said:

« There is something, after all, in these niggers. »

Other dancers had entered and joined the first two. Silent, like golden phantoms, they executed their gestures with a retarded rhythm; what they accomplished was a succession of plastic poses, a continuity of displacements of the equilibrium, rather than a true dance. None of the Western vulgarity, such as smiles, shaking of the body, ambiguous gestures or flirtations across the foot-lights. Under the implacable eye of their King they executed their dance religiously. They bent their thighs while beating time with naked, flat feet on the floor, more cautiously than if they were on a red-hot stove. A movement, like a ripple on the surface of a river, originating in the arms, began its course at the shoulder, broke the elbow line, and caused the hands of the dancers to quiver. It could be followed in its undulations through each entire body, to the very toes. Even their fingers were participating — and this was perhaps the most beautiful part of the whole performance — the thumbs and index fingers pressed together, the others bent till they touched the wrist. With fingers curved like jasmine petals, resting against their waists, they made the shape of a spider. Insell kept looking at the dancer at the left; in a unique gesture he saw her portray that she was going to pluck her heart out. . . . In gazing at him it seemed that she was imperceptibly offering it to him. . . .

While he was dreaming, the Indian orchestra thundered away, beating drums and making a great noise on strange instruments. A monotonous movement, putting one in mind of a Bach fugue. Insell felt exasperated that all these women should be the property of an old King. King indeed! A mysterious, invisible person, out of fashion, of whom one could see nothing at the moment but his large feet which extended beyond the screen at the right. One could hear him coughing and vigorously expectorating his betel-root into his spittoon. Judging him by that short, sensuous looking and indolent toe protruding from the trousers of his white uniform meanwhile, Insell thought the monarch was probably arrogant, lazy and passionate. The strange foot gear had fallen off and showed the rosy sole of his foot as well, which was being refreshingly cooled by two fans. A third fan at the ceiling served to illustrate a point: All that could be seen of the King was the breeze about him. Percy Insell trembled when he thought of the sequestration of these little dancers, mere children, delivered by the village or their family to the Minotaur, and chosen from among the most beautiful. . . .

He wished with all his heart to possess one whom he would snatch away from her fate and whom he was sure he could persuade to fall in love with him.

. . . .

« Master has no fear? »

« No. »

« Master can procure opium for me if I go to prison? »

« Continue . »

« Master put me down for British protection? If European minister defend me, I no get the torture. . . . »

Insell was on the terrace of the bungalow which had been lent to him for a few weeks, for there is no European hotel in the small capital of Indrapura. Bougainvillæas ran all around it and descended in violet cascades to mix with the lianes and roots of banyans — banyans which looked like columns rising out of nests of snakes. In the sky, which was grey and yet so bright that looking at it dazzled the eyes more than looking into the sun, red vultures were sailing about before letting themselves drop like a stone upon the still smoking remains of a cremation in a gilded temple nearby. One could hear the terrible klaxons of Packards and Cadillacs, belonging to rich Chinese merchants. From the lazy waters of the canal came the imprecations of grounded boatmen, suddenly stranded in the middle of the river by the receding tide.

« Master give me two thousand Singapore dollars, and I fix everything. . . . »

The person who stated his terms in this manner was an Annamite with the face of a serpent. And what he offered to do for Percy Insell, like the tempting serpent he was, was no less than his dream of the other night at the theater, no less than the little gold and ivory dancer. Insell knew her name now. She called herself Jara. In magic, to be able to give things a name is to possess them. . . . Tomorrow, if he could believe this intermediary, Jara would be his. This Annamite, Ha Tien, had sprung into existence one morning like those people who are ever unannounced, but who, nevertheless, are constantly intruding into our dreams. All that was known about Ha Tien was that once upon a time he had been a sergeant in the Foreign Legion of Indo-China, from which service he had deserted. Later he took residence in the kingdom of Indrapura, where he followed the profession of opium smuggler, alcohol dealer, procurer and amateur detective. He also was interested in an umbrella factory.

Ha Tien read in Percy Insell's heart as in a picture book for children and he knew how to fan his desire. In eleven nights — not one single one more — Jara could belong to him. But the scheme did not mean sneaking across battlements into the palace, perhaps disguised as a lotus flower, this was not a matter of a common, furtive rendez-vous. No, — it meant a complete abduction, irreparable and final. Once gone from the palace, little Jara would never be able to go back there again.

« Master . . . how beautiful she is . . .! You risk only two thousand dollars to have her! I am risking much more for you! »

Insell found that he was being seized with the sweet, romantic dizziness of adventure. Not to be a common tourist any longer, a passive parcel in the hands of the American Express Company. To live a life of danger! An Asiatic drama. . . . A junk would be waiting. . . . The die was cast. . . . The junk would be at the estuary of the river, the limit of the territorial waters in Indrapura. A catamaran would come alongside. . . . Jara would be hoisted aboard. The rope for the escape is hardly dearer than the rope of the hangman. . . . Insell counted over to Ha Tien his 2,000 Singapore dollars, which kind of dollars are nice little balls of solid silver, strung up by twenties and held together by a pack string. They would reach the French territory of Indo-China, which would be friendly to them, far from the King of Indrapura, — that old impotent and infuriated crocodile. To enjoy a royal rage, to betray a descendant of Buddha, all for such a small sum! How could Insell refuse himself so great a pleasure?

Two days later Percy Insell was lying stretched out on his bed, his feet given over to a Chinese chiropodist. He could only see the bald head of the yellow man, shaped like those cupolas under which the rich Moslems are buried; a few hairs had sprouted again, which looked like brushes that are used for cleaning rifles. Although Insell had given no orders, this Chinaman had come that morning and presented himself under the mosquito netting. How different from English servants! One had to express one's wishes in England. These Chinamen are not human beings, they are things, — very convenient things. But look here: This thing is talking! It is pronouncing the name of Ha Tien, the name of Jara!

The Chinaman is a secret messenger. Through him Percy Insell learns that his « abduction from the seraglio » is to be delayed for several days. It is necessary to wait till the king has left the capital, to make use of one of his trips to the hills. Insell also learns that Jara will not make the escape by herself; an inseparable companion is to be with her. . . . No, not an old hag of a *duenna*, not an aged member of the *répertoire* company, no! Another pretty little dancing girl; the same one that took the part of the Prince in the last court ballet. This new recruit went by the name of Antilope of China; her eyebrows joined naturally, her hands were supple and her mouth could recite eight hundred poems from Ramayana by heart! So Insell should cease to wear out his nerves. In eight or nine nights — for in the kingdom of Indrapura one counts by nights — Ha Tien, the invisible one, will have returned. In the darkness he is waiting his hour. Insell too should resign himself to be patient.

On the evening before the great day Insell found a mysterious note among the jasmines which, according to the custom of the country, were placed on his bolster every night. Everything is going all right. Ha Tien has procured the means of gaining access to the palace. But the room in which Jara is sleeping has two other occupants, other dancers, and it is going to be necessary, said the message, to carry off not two girls, but three. Insell became angry; then he laughed. And besides, what chance had he to renounce, to make Ha Tien give up now? Perhaps one could run away? There was no steamer before three weeks, and there are no railroads in the kingdom of Indrapura. It is true that Ha Tien asked for another thousand dollars, but at bottom Insell was already quite tickled with the effect he would produce at the

273

East India and company

In and Out on his return. Who was there that could boast of having abducted in one stroke three sacred dancers! What are our petty, commonplace scandals beside a feat like this! And perhaps at *All Souls*, Percy Insell's college, he might become the subject for some mystic cult, and if he should disappear by chance a limerick might be composed for him:

> *There was a young man called Insell,*
> *Who feared neither heaven nor. . .*

The die was cast. In three nights, Insell intended to leave Indrapura, taking with him the King's most precious treasures. The flight was decided on, regardless of its consequences.

On the eleventh night, the second moon being in the sky, Percy Insell was at his post on the forward deck of the junk which had been rented from a Chinese. Two large eyes, which would watch out for reefs ahead, had been carved from solid wood in the prow. They were anchored at the border line of the territorial waters of Indrapura and would be able to gain the open sea in a few minutes' time. In passing the customs station a signal had been hoisted indicating that the boat was only bent on fishing in local waters, in order to avoid inspection. Insell's light linen suit and tropical helmet made a white splotch in the darkness. Ahead of him the spacious bridge of the sailing craft had been cleared for immediate action and any manoeuvre necessary. Amidships the crew, with their naked red bodies, were crouching, eating their rice and smoking cheroots in the hollows of their hands, for all lights aboard ship had been extinguished.

At last there was a muffled noise of oars stirring the muddy, rose-coloured water of the mouth of the river. In the darkness of the night a still darker shadow appeared. A slight jolt against the sides of the junk was clearly perceived by Insell, who was keeping a very sharp look-out. Ha Tien was climbing up the ladder; he came to the forward deck; he prostrated himself. Climbing up behind him, bunched together, were three little dark girls, thin, with bare feet and uncovered heads. Insell could not believe it when he was told that they were Jara and her companions. Where were the beautiful costumes, the mirrored tiaras, the golden finger nails, bent back like fangs? It had been necessary to

« *The abduction from the Seraglio* »

leave all that wealth behind; the two pounds of finely worked gold which the ballerinas carried around on their persons had to be left in the property store-house of the King, together with the golden parasols, the imitation lotus-shaped thrones and the beautiful masks which the dancers held by a string between their teeth. Insell took Jara by the hand. She was saying incomprehensible things to him and disclosing her black lacquered teeth. He was experiencing a most frightful feeling before this child that he had hunted down, this piece of physiological misery. Alone between the sky and the sea in this primitive country, the abduction of these little strumpets appeared still more tragic in the hot equatorial night. Ha Tien had gone to supervise the embarkation. How many servants could the little women have brought with them? How many pieces of baggage, boxes, bags. . .? Had they taken the entire contents of the place . . .?

Slowly the brown sails, folded and crinkled like tobacco leaves, were hoisted; they rose up to the sky, where they hid the liquid stars. An invisible wind made the masts groan, and everything began to lean to one side. The lights of the shore were dropping behind. The open sea had been reached.

. . . .

Insell had been expecting an adventure, but not like the one he was engaged in now. When he got up the next day he found Ha Tien crouching on the deck and then prostrating himself before him. He learned that the boat was headed, not for French Indo-China, but for Singapore. It had seemed better judgment to change the course, since dispatch boats from Indrapura were cruising in nearby waters. Seeing that his master was not showing any signs of anger at this news, Ha Tien continued his revelations and profited by Insell's apparent calmness to let the cat out of the bag. In short — (I am giving here in *résumé* what took many Asiatic circumlocutions and Oriental indirectness to confess) — there were no longer three dancers —.

« What! Has the whole *corps de ballet* come on board this time!? » exclaimed Percy Insell, laughing.

When Ha Tien saw that the white man laughed, he indicated with his head that it was indeed so.

« You mean to say that all the King's dancers are here? »

275

East India and company

« Yes, yes. . . . »

They kept in hiding amidships, such miserable, stripped human cattle, heading for the slaughter house, bedraggled, clad in pitiable rags of red and yellow, so much resembling members of a provincial circus troupe, that Insell had but one idea now. To get rid of the whole lot of them as quickly as possible. He forthwith had a discussion about the matter with Ha Tien, gave him a round sum of money to take care of the immediate consequences of this wild lark, and had himself set ashore at the first Malay port they encountered.

When he arrived in Singapore a few days later, Insell was received at the *Raffles* with great to-do. In that dreary town, where nothing happens except the arrivals and departures of ships, he was a hero. But a much more comical hero than he at first imagined. And this is the reason why: The old King of Indrapura had had his allowances on the civil list curtailed by resolution of his parliament; thus he saw himself confronted by the dire necessity of practising some economies and disbanding his *corps de ballet*. He had accepted the offer from an agent for an American vaudeville circuit to take the entire troupe at his expense for a touring engagement around the world, providing the court of Indrapura delivered the dancers immediately at Singapore. Bids for the transportation of the fair *apsaras* were opened, and Ha Tien, offering the most favourable terms, received the contract. This knavish fellow, determined to reap a good profit for himself, and having an idea regarding Percy Insell's secret desires, offered to satisfy them in such a way that it all worked out to his own advantage. He had thus conceived of a way to kill two birds with one stone. In his mind, which was up to all kinds of tricks, he had thought up the fable of the clandestine abduction, extracted the money from Insell for the trip, borrowed a vessel, and thus transported the entire *corps de ballet* of the King of Indrapura to its destination, all at the expense of the young Englishman. Thus it happened that the Hon. Percy Insell wasted several weeks, and not a little money and prestige, by engaging in an affair of love, the colour of which he never found out; but for which the Insell Works & Company, through the agency of the Burmah Bank, paid the bill, while the young traveller was regarded by his family as the greatest *débauché* in the world.

276

VIII
The child of a hundred years

The author, an amateur psychoanalyst,
tries to cure a neurotic girl and fails

When I heard that Diane in her sleep had, thanks to some poison which she had taken, crossed the so poorly defended border line, which separates us from death, I was not surprised. Diane was not made for life.

« What are we? » Diane's extravagant philosophy, perfumed with some scent of Coty's, had questioned. « What is our body if not a provisionary union of cells which by chance are set forth on a common adventure? Sooner or later this fortuitous condition must cease existence, and each atom will again be set free. »

Nevertheless, not all of those fortuitous states can boast of such perfection as that which was Diane. People were quite ready to describe her as stupid, but her mouth was so red that everything she said seemed intelligent to me. Diane, a perfect beauty. Because of this beauty, no doubt, she was the victim, perhaps, of some curse of which the cause was a mystery, the effect of which, however, quite evident: Diane was unable to believe in any reality which was not herself. The painful and yet comforting belief, which, in our minds, makes humanity and even our individual existence part of the system of the universe, had not succeeded in taking shape in hers. Diane grew up in a world in which she acquired no faith. Furthermore, when she was about twenty years of age, she became — as the romances of the nineteenth century would say — a neurasthenic, and this, a year later, brought about her death. Her soul, losing all its weight, left the earth, like a toy balloon released from the hand of a heedless child. I was present at one of the last moments of her life. This was — since she was destined to die a little later at Peking — perhaps her last effort to resist that mortal folly, which her last stay in Asia only served to bring to its fatal climax. I tried to save her. I offered her a helping hand — not disinterestedly, to be sure, because I loved her. It will be seen that it was in vain.

Ten o'clock in the morning is not a very original hour, not in the least a compromising one and one which may be faced at any age with pleasure if one has not committed excesses the evening before. That day, as I descended to the lobby of the Grand Hotel in Manila, I was in the very best of humour and ready for whatever was going to happen. Each leaf of the palms in the hall had been carefully dusted, the flagstones shone, brightly polished, the *portier*, freshly shaved, instead of being surly, on the defensive and unwilling to answer questions appeared like a gilded shadow dashing back and forth satisfying the wants of every department. The flowers in the dining-hall, awakened by a watering, burst forth with a new brilliance of colour. Marvelous tropical cocktails of fruit juices were being served without being ordered. The headwaiter was preparing his luncheons as if he were lining his forces up for battle. There were no outcries from the basement of gentlemen whose cuticle had been injured by the manucure. All the great avenues, which ran toward the American city, glistened in the sunlight. In the distance one could hear the humming of the naval airplanes over the bay, and from the pier came an occasional noisy outburst of the military band. That is to say, all the joy possible asserting itself at that moment brought forth such an excess of happiness that there was room left only for disaster.

At that moment, Diane stepped out of the elevator.

She found herself torn between the pleasure of seeing somebody for whom she had confessed a liking and of safeguarding a personal free-

278

dom for which, on the other hand, she could find no particular employment. I saw that she was going to exclaim:

« My dear frient, unfortunately I shall not be able to see you during your stay here. I am leaving tomorrow. »

So I anticipated her and said:

« My dear friend! Unfortunately I shall not be able to see you. I am leaving tomorrow. »

Diane's face brightened up at once. Her eyes became softer. Like a cat, she was quite willing to stay near you of her own accord, providing one did not appear to want her.

« Well, » she said, « perhaps you will give me a little of your time? And, tell me, where are you going? »

« I am going to Shanghai; then to San Francisco. »

« I am also going to Shanghai; from there to Peking, and on to Paris by the Trans-Siberian. »

« On which boat? »

« The *President Taft*. »

« So am I! What a luck! »

I was very careful to keep her in the dark and not let her know that it was not luck at all. I had known Diane in Paris, six months before. She was an American girl, the daughter of a big manufacturer in the Middle West. Among all the young American women in Paris, so beautiful, so rich, so idle, who, far from their native soil and their families, develop personalities far different from what they would have been had they remained in the States, Diane had been distinguished by her need for a breathless existence, — in a rather scattered fashion but with an original charm and an incomparable effectiveness. I loved her. She let herself be loved without losing any of her harshness toward herself. She had no illusions. She knew that she was indifferent and undisciplined. I had to expect to suffer, and I suffered. But how is one to escape being attracted by beings who have absolutely no need of you? I had asked her to marry me; she refused me as she had refused many others. I had offered to follow her; she expressed a desire to remain permanently in Paris. My happiness, which consisted in seeing her every day, had seemed sufficient then, and I did not wish for any other. I told her this; and this was a great mistake, for she was

279

contradiction personified. Was it just chance or a cold cruelty which manifested itself from the day after I had made that confession and which made her leave Paris in the end? I have never found out. Diane had kept her sudden departure a secret from me. I did not suspect anything until one evening, at the door of the Ritz, when she was saying goodbye to me, she had an infinitely clear and terrible look in her eyes and a note of sincerity in her voice when she said:

« You see, you must not set too great a store by me. I am such an unhappy creature. . . . Life together? Never! . . . I don't believe in anything. . . . I love nothing and no one . . . I tell you, all this is going to end very badly. . . . »

Meanwhile she had disappeared. I learned that she had left for Manila to visit her sister who was married to an American officer stationed there. Several months afterwards I had occasion to visit the Far East myself. One evening, in the harbour of Singapore, I noticed on the larboard a steamer of the *Dollar Line*, a « President Boat », close by, at anchor. I was told that the boat was bound for Shanghai, but was going to make the trip by way of the Philippines. I suddenly had the idea that if I should go there I would see Diane again. I had my luggage transferred to the American ship and arrived in Manila five days later. There I learned that Diane was indeed still there, but was only staying for a few days.

« Then we are going to travel together? »

« If you insist », said Diane, looking less pleased now to see me, realizing that she would not be able to escape me any more. « You remember what I told you when we met on the *Place Vendôme* for the last time? »

I remembered very well, but acted as if I had forgotten.

« I have not forgotten », said Diane. « One should not love me . . . I am a lost creature . . . The tropics are already somewhat of the nether regions . . . one feels here as if one understood what it is like in the great beyond . . . I feel as if I had arrived at my destination . . . The doctors say it is my nerves . . . They prescribe Switzerland, psycho-analysis, baths. . . What do I know . . .? »

She sighed.

The child of a hundred years

« My life is a feast to which I invited the whole world, but nobody came. »

« And I? »

« Yes . . . You . . . and others . . . But nobody could enter, because my heart would not open. »

We enjoyed the evening in a charming bungalow. The house was surrounded with banana trees, which, with their large, green, curved leaves, screened us better than the panka. The sunlight filtered through a network of bamboo overhead. Through the window there was a hairy greenness of ferns, the size of trees, intermingled with hibiscus of the same carmine rose colour that one sees on the cheeks of actresses in Chinese plays.

« Find me a reason to live », said Diane.

But here I did not try again, as I had done in Paris, to facilitate her escape outside of herself, outside of that narrow universe in which she shut herself up out of pride — that same pride which, more than the taste for pleasure, leads to the ruin of women, particularly the best of them. I had given up urging Diane to come outside of herself, urging her toward material objects, human beings, the arts, new climates. . . .

From habit, however, I did not spare my reproaches.

« If you were vulnerable, Diane, if you lived on this earth and decided to stay there, I would make an attempt to reconcile you with sentiment. But that is a vicious circle, since you cannot bring yourself to try love. »

« What exactly do you mean by love? »

« You are the first woman who had to have that explained to her. To love is to place oneself in the heart of things. »

« But since in the heart of everything there is always myself . . .? »

« You are a statue of stone, Diane, a monolith. Yes, a stone, — a very beautiful stone, dropped from heaven. . . . »

Her stare had already become fixed. She had retreated within herself; she did not listen any longer. Quite unlike other women who, when one talks about their precious personalities, respond as lizards do to whistling: They become silent and listen.

I tried blunt tactics then:

« Diane, if you do not love me I shall kill myself! »

281

East India and company

« Never », she said, laughing. « Your necktie is much too perfectly
made ... No ... Don't think I am cruel, except against myself. I have
already warned you in Paris. Why have you come here? Or at least
then, why don't you save me? » she cried, bursting into sobs. « Work
the miracle to make me submit to something that is not myself.
Answer those cruel questions for me which I ask myself. Yes ... Save
me! What is it that possesses me? »

Diane was that type of beauty that needed lighting up from within.
The moment she became animated I was vanquished. All my resolu-
tions to abandon her to her sad fate were shattered. She appeared regal
to me again, moving, worthy to be saved. This condition of an ailing
soul, while chronic in more clement latitudes, had been exasperated in
the tropics. In this excessive climate, which is like the nerve centre of
the world, the reserve store of our planet's magnetic forces, the crisis
had been reached. Diane had no longer to be convinced, but only to be
nursed. She had to be operated, as quickly as possible, on the spot
where she suffered the most. I took her head between the palms of my
hands, like a mesmerist, and thought for a long time.

« I am feeling better », she said. « Yes ... a little numb. »

A tired breath of wind, no longer scorching, reached us, charged
with sweet odours. This complicity of nature and the confusion which
always seized me when being near her would be of no avail. I wanted
to be a physician, nothing else. I drew away from her.

« We cannot remain like this, Diane ... It is very bad for both of us.
Night is approaching. Let us go for a drive. On the way I shall try to
explain to you what I see in you, or what I should like to see. »

The sun was going down. Sunsets in Manila, where even the sky
with its violet hues and its clouds, fringed at the edges from the rage of
the typhoons, resembles the native shawls — (which, by the way, are
made in Canton). On their doorsteps, the Indians, their shirts out over
their trousers, were exercising their game cocks. Diane and I refused
to take an automobile and engaged some impossible conveyance for
our regal entrance into the old Spanish town — which was badly
paved, drowsing, smelling of cinnamon bark and cats. We left the
American engineer corps officers playing golf in the moat of the
citadel behind us, and passed through the antiquated fortifications,

282

driving amongst the old cannon, still marked with the coat of arms of Isabelle II. There, between two ramparts, behind a crescent, hidden by the tall fern, we discovered the aquarium; an obscure and forsaken passage, where suddenly the glaucous glass tanks lit up before our eyes. This was the domain of the tropical fish.

« How beautiful they are! » exclaimed Diane.

« Your sins are also beautiful », I answered. « At least they appear so to you — (and to me, too, alas! I thought) — Look . . . Here I shall be better able to make you understand what I was not able to explain to you a little while ago. Imagine that each one of these fish is one of the vices which are so much cause for suffering in your life. Those 'puffer-boteti', filled with air, are your egoism. The effect of your selfishness is just as if it filled you with air and kept you floating at the surface of your consciousness, thus hindering you to dive down to the depths where you would find the profound and rich nourishment which your heart demands. Those rose coloured fish, bedecked with so much cumbersome plumage, dressed only for the parade and probably an easy prey, represent your vanity which, far from assuring you of supremacy in this world, makes you the prey of all the simpler and inferior beings which have the advantage of better armament. Those amphibious fish, which, they say, can change their colour and cross the rice-fields on dry land, stand for your indifference, which is destroying your personality and is making it difficult for you to find yourself when you have become lost, because you have reached the point where you vitally cease to exist. And the others, those sapphire-blue ones, which are called convict-fish because of their black stripes, and keep going back and forth in their tank as if they were in the courtyard of a prison, they are your laziness which holds you a prisoner. Now imagine that all these various tropical fish of exquisite beauty, as they are assembled here in this aquarium, the prettiest next to the one in Honolulu, are your attractive vices — for it is all within yourself — but they are mortal. Here is nothing but the war unto death of the forest, with the ferocity of the tropical jungle, repeated under equatorial waters, among coral reefs like the antlers of a red deer. Look into youself carefully: You will find there the same battle between the weak and the strong and all your atrophied virtues, which go down to defeat.

283

East India and company

« You are a poet », said Diane, laughing a little; « but that is all you are ... Look at those ... The flat and transparent ones ... As if they were tattooed! »

We read the sign:

« These are a species of fish which during one half of the year are good to eat and prove deadly to anyone who touches them for the other half », I explained.

Diane could not take her eyes off them; her nose was pressed against the glass, as it had been in the past in the *rue de la Paix* in front of a jeweler's display window.

« I want one of them, » she said with determination.

« But . . . suppose this happens to be the season when they are deadly? »

« So much the better! »

The glass of the tank did not reach to the ceiling; it stopped at the height of our eyes. Before I had time to prevent her, Diane had climbed up on the stone ledge and, putting one foot on the iron frame of the tank, was plunging both hands into the water.

« I have it . . .! No . . .! Missed it . . .! »

Slippery as soap, the fish escaped her. Diane then took off her hat and used it as a net. Her short hair was hanging down over the water. Soon she brought out one of the deadly fish, wet, wriggling, puffed up with air and rage, as striking as a poisonous tropical fruit. Without hesitation she seized it with her hand. I tried to make her relinquish her prize before she would be stung by it. But Diane eluded me and ran away, laughing, and exclaimed:

« The fish has one of its good days! You see, it has not killed me! »

« It does not suffice to be courageous, Diane, even if one has chance in one's favour. These fish, sometimes nourishing and sometimes harmful, according to one's taking them at the right moment, let us say, are your pride. Use yours to destroy, one by one, all the subaquatic parasites, which are egoism, vanity, laziness and indifference, all of which I see through the glass pane of your consciousness. »

« Thank you for this child's moral, » said Diane. « I do love parables. . . . »

284

The child of a hundred years

We reached Shanghai a week later. The crossing had had its usual effect: I was again madly in love. Diane had become more and more ill; she was by now the victim of a very serious nervous disorder.

Nothing could take her mind off her worries. I had not succeeded in setting her mind free, or provided her with the mental or psychical coma which she craved and had expected to reach with my help.

What would I be able to do for her during the few days that preceded our separation? What star to show her, what saint, what rare, perfect, unperishable object that would explain what I expected of her and thus accomplish her cure? In the form of an apology I had shown her her vices and the whole troubled side of her consciousness. It was necessary to place before her eyes a perfect object, something that she would crave as an ideal. If I failed, my attempt to cure her by imagery would be in vain.

« If I fail and do not succeed in convincing her this time », I thought, « I have lost her forever. »

In this city of evil pleasures, which is Shanghai, she was already escaping from me in the evenings. She went to dance on the roofs of European hotels, indulged in drugs, which were everywhere for sale, and spent the afternoons weeping in her large bed in the *Astor House*, her face turned to the wall.

One day of great sad abandon I was startled from my siesta by a noise. It was a Chinese who had entered my room, as they all do, without announcing themselves. He greeted me, opened his robe and took from it a package, wrapped in a very dirty number of the Shanghai *Times*.

« I know that master like the very, very beautiful things », he said with a grin, which is nothing but the smile of the Orient, — a mercenary smile. « I have brought you this. »

In the subdued light of the room, filtering in through the shutter blinds, the object he held out to me nearly dazzled me. It is not frequently, is it, that one finds one's self face to face with an object that is a mixture of nothing, a pure idea which has taken on shape, without being weighed down or diminished by it? Imagine a drop of frozen water: It was a skull, almost natural size, made from a single piece of rock crystal, perfectly polished. The teeth were indicated by a line, the only one that marked that pure diamond. The hollows of the eyes, instead of being filled with shadow and terror, were lighted up with a clearer light than that of the brightest pair of eyes. Wherever the light came from, the death-head fed on it and knew how to concentrate it in its heart of crystal. There seemed to be no doubt that it would continue to shine with the same brilliance at night, since it appeared to be its own source of light.

« Magical skull », said the Chinaman. « Good for telling fortune. Very dear, very dear. It's signed: Period of Kien Lung. »

I took this iceberg, that had been found under the equator, into my hands. It was exactly what I needed for my demonstration. I ran to Diane's room like a madman, without even asking the price of it, decided to sell all in order to offer her this sinister crystal if she desired it, if she understood what this object wanted to say to her.

I entered. Diane was lying down. When she saw the skull, bursting with light, she exclaimed:

« How beautiful it is. Is it frozen in that shape? »

« No, it is cut out of crystal », I answered. « And to go from the concrete to the abstract, you see here that even the most sinister conception, the symbol of our final end, — the very thought that haunts you so often — may become through art a most luminous thing. Diane, I would that your heart resembled this: to be transparent and incorruptible. Then I would also be willing to vouch for your cure. Take this and keep it always in your room, yes, before your eyes. The Chinese also tells me that it possesses magic powers, that one may, for instance read the future in it. »

« Let us see that », said Diane.

She sat up on her bed — (God, how unforgettably beautiful she was like that!) — and took the crystal into both hands. She bent over it and remained that way for a long time. . . .

« Diane, I see it pleases you. I beg that you will accept it from me. Heaven be praised that I have at last succeeded in interesting you! »

She made a sign to the contrary. Without saying a word, she turned her face to the wall.

This time I could not suppress my displeasure and I exclaimed with an irritated voice:

The child of a hundred years

« Really now, Diane, nothing will satisfy you. Nobody can save you. You are right; It is impossible for you to live. You are a child, but of no age. Do you remember the strange and profound phrase of the Ecclesiastic: 'The child of a hundred years be cursed!'? Beware of being that child! Why will you not accept this magic crystal? »

Diane turned a very pale face to me, bathed in tears.

« Because when I was bending over it I saw myself in it . . . »

« Yes . . . and . . .? »

She added:

« I saw myself dead. . . . »

IX
The happy island

How Tahiti enchanted two generations
of stern and right-thinking Scots

I belong to a clan which for more than five centuries has been renowned throughout Scotland for the austerity of its morals, its severe sense of duty and its unfaltering devotion to the noblest of causes. Its plaid tartan, checkered in yellow and purple, had been present at all the great massacres in Caledonia. When Scottish ethics became more civilized, the MacPerrons' impassioned activities, until then of a sanguinary character, became enlisted in the service of the sciences, religion and morality. My own name, which is Sir Gordon MacPerron, (I hope to be excused for talking about myself, but this is part of my personal history), is not entirely unknown to the public at large. My works, dealing with the savage races and with the life and customs of the Pacific Islands, are not only cited by German bibliographers, but by many scholars the world over. My book, *Cryptogamous Plants Under the Equator*, reedited last year in Oxonia, truly reads like a novel, and my *Man's Parasites in the Marquesas Islands* is bound to remain the authoritative reference in the universities for years to come. It would be quite pointless, therefore, to recall here my long voyage through the Pacific which I undertook twenty years ago for the purpose of my studies, and to which the press of every country gave much space at that time. A certain knowledge of oceanic idioms, my investigations into the physiology of the lower animals, my qualifications as a doctor of medicine, not to mention the high station I held in public life, combined to make me, Sir Gordon MacPerron, M.D., M.A., C.V.O., *etc.*, one of those scientific missionaries that are the glory of Scotland. I shall, therefore, limit myself to dwelling on my sojourn in the South Sea Islands, — on the much regretted Easter Island and on Tahiti. I do this for very good reasons — the worth of which will be recognized later.

While in search for solitude, which is so helpful to the pursuit of science, I planned, at the same time, to discharge a pious duty. The truth was that my great-grand-uncle was that noted Cameron who, in the eighteenth century, had accompanied the valiant and unfortunate explorer, Captain Cook, on his last two voyages to the Pacific. The name of this ancestor of mine was Oliver MacPerron. From the accounts of Cook's voyages, for which we are indebted to his assistant, Clarke, all the world knows the manner in which the illustrious English sea-farer perished, — how he was betrayed and assassinated, and later devoured by the savages of the Sandwich Islands. The records of those happenings are faithfully rendered in every respect. But I looked in vain for the name of my grand-uncle. At Perth, in the archives of the clan, all the details of this man's studious youth were to be found: His diplomas from the University of Edinburgh, testimonials of his first successes in the field of science and a thousand proofs of his moral superiority over his contemporaries. The last thing that could be learned about him was that he took ship in 1777, in the month of December, bent on a long stay in the Indies and the Americas. It does not seem possible that he was killed with Cook, for nobody by the name of MacPerron appears on the list which has been kept accurately up-to-date and contains the names of all those lost on that expedition. But, on the other hand, he was not on board the *Resolution* or the *Dauphin* when these ships returned to England. There was then no longer any hope of finding any traces of this ancestor, the pride of the clan, one of the most learned and most highly esteemed men of his time. Without doubt he had remained in some barbarian country, such as he described in his letters, in order to carry there the light of civilization. In the notes which Oliver MacPerron has left behind, and which are still in the possession of my mother, he often mentions Tahiti in such a manner (like all the people of his time he commits the linguistic error of writing it Othaiti), and describes the island with such impassioned enthusiasm that I was led to believe for a long time that this apostle of science unquestionably scored rather remarkable successes there. The more often I read his notes, the more I travelled myself and the more I delved into the accounts of Captain Cook's voyages, the more I became convinced that my grand-uncle had definitely settled down in Tahiti. His remains never having received the honours which are a righteous man's due, I took it upon myself to discharge the duty of erecting a monument to the memory of Dr. Oliver MacPerron which would be worthy of his apostolic life and his devotion to science. I planned to do this in the course of the expedition to the South Sea Islands on which I had embarked. So it was that I resolved to stop at Tahiti.

The flora and the fauna of the Pacific archipelagos had ceased to hold any secrets for me when the little French steamer on which I had taken passage cast anchor one evening as dusk was falling in the sluggish waters of Papeete, water that looked as black as liquid India rubber. There we had to await the dawn before we would be able safely to clear the coral reef. For long hours past land had been in sight, and the mountains of Tahiti, with their serrated crests which looked as if they had been cut out with a hatchet, now appeared to me through clouds which were dyed blood red by the setting sun, fringed with yellow and purple, in the very image of the colours of our plaid tartan. A strong emotion, which I was unable to fend off, seized me at the thought of one of my family, a direct ancestor, whose blood was coursing in my veins, sleeping somewhere yonder at the foot of those high mountain tops.

A light wind which had been skimming the gardens of the island all night long carried an unbearable scent of flowers to my nostrils. At dawn, clusters of palms came into view and, over huts still steeped in slumber, the long, green tongues of the banana trees. The children, who were the first ones to be up, were whistling through empty fish

290

skins in our honour; some executed numerous dives and somersaults and others were eating snakes. Canoes, carved out of the trunks of sago trees, were put into the water, and our steamer was soon surrounded by the light craft which barely escaped capsizing under their load of mangoes, cocoanuts and those spiked vegetables in the shape of gourds, which the people fill up with lotus seeds. Some women swam over to our steamer and climbed up to the deck unaided. Others, who came in catamarans, draped themselves in the materials which they offered for sale, being both shop-keeper and show-window at one and the same time; they were the vendors and, if I may put it that way, also the merchandise. And since the cloth they sold was of beautiful workmanship and vivid colouring — (even though the colouring was obtained by means of German dyes) — my travelling companions soon succeeded in depleting the stock, with the result that the girls were soon in a state of undress, with nothing left to cover up their bodies but a raiment of grass which they changed every day, like the lingerie of a white woman only much less expensive.

I was taken ashore in a small boat, with several officers and four of the girls who had sold their materials first. The scholar dominated the man, and it was with a purely scientific eye that I took note of their light and clear complexions and the shapeliness of their figures. Their skin was adorned with tattooing of very clever design which covered the entire body and even the face; only the soles of the feet and the palms of the hands had been left without pictorial embellishments. The character of these designs showed totem motives and called to my mind the drawings of the totemic Indians, and also the ones on Chinese ritual vases. Their great scientific significance prompted me to make some sketches and even some tracings of them. The little savages let me use them for this purpose, instinctively proud to be enlisted in the service of science. They stared at me, emitted little cries and burst into spontaneous laughter. The French officers showed great willingness to assist me in my work. I should add at this point that all this occurred many years ago; I was not yet thirty years old, and Papeete was then but a village and not the large port which it has since become.

I had become quite familiar with the Polynesian dialects by that time; and I was able to question the priests and old men regarding the sojourn of any white people who had been on the island in the past. But neither their songs nor their folklore had retained the least trace of any of them. In the tropics all things slip silently into oblivion without leaving the slightest reminder behind them. There are neither archives nor cemeteries; everything exists there, like nature itself, by the day, and is without memory. I consulted the French papers of the port; but there was not an item that referred to Dr. Oliver MacPerron, the great Scotsman. All that I was able to discover was some information regarding a certain tract of countryside which my uncle had often described in his notes with painstaking exactitude and utmost complacency; it was situated northeast of Papeete, about seven leagues from the coast. The picture I found presented the same gorges and ravines, the same jagged outline of mountain ranges in the distance, the same mist which was wont to fall along the sea shore in the evening. The huts which were before my eyes might easily be the very kind which he depicted and referred to as « aboriginal dwellings. » It was there, in the shade of the cocoanut palms, surrounded by flamboyant flowers and rose-coloured hibiscus, where during the hot hours of the day native servants used to fan him while he was absorbed in his work. For this reason I decided on this spot to raise a cenotaph in the memory of the sainted man.

While I was working on this pious memorial, I observed several little native girls who seemed to be fighting in the water; without doubt they were very much like those whom my grand-uncle had known there in the past. They used to bring me water in the palms of their hands, tightly joined together, with which they sprinkled the indentures of the letters which I had carved into the volcanic stone. It was inscribed in this fashion:

TO OLIVER MACPERRON
Of Perth
MEMBER OF
CAPTAIN COOK'S EXPEDITION,
DIED FOR THE CAUSE OF
SCIENCE

The happy island

To them this stone was a monument to some very mysterious god, who, nonetheless, was, in truth, Oliver MacPerron. When the stone was finished, they conceived the idea, quite out of their own heads, of making a crown of flowers for it, as, by instinct, those children of nature want to adorn everything. They would weave chains of flowers when they came out from their baths, glistening as if the water were a coat of oil on their skins; they squatted near me in the grass, letting themselves be dried by the rays of the sun. In the evening, to the sound of tambour and cymbals, they would dance for me, and kept it up until well into the night. I thought that my grand-uncle's soul, which I felt would be present there, took pleasure in this popular art, and I returned to that place often, inviting my little friends and asking them to keep on exhibiting their sport. It was thus, by a sheer effort of will-power, and certainly not because I derived any pleasure from it, that I reached a stage where I was able to bear the stifling odour of jasmin, which blossomed in thick clusters all over the nearby huts.

But the time which I had allotted to a sojourn at the Antipodes had long since elapsed. A sense of pious devotion, growing stronger and stronger within me, seemed to root me to that spot and link my fate to that of my dear grand-uncle. My studies had been interrupted, my scientific researches totally abandoned, and I, who was expected to fill the place of the future great man of my family, felt myself succumbing to a delicious torpor, to a perfumed indolence, pervading my whole being like a subtle poison. Finally, a letter from my people at home summoned me back with such insistence that I at last tore myself from that spot over which the memory of my ancestor had cast such a spell. But I did not leave without first having entreated my little native friends to continue honouring him with their dances, their floral offerings and their games.

Twenty years have passed and the scenes I have just described were almost erased from my memory, when a recent newspaper article revived them again with a far more vivid colouring, while, at the same time, bursting through the chaste skies of the MacPerron family annals like a thunderbolt, while opening my own eyes to my past and the name which I had inherited. It seems that a certain conscienceless book-worm, setting about to write the history of Captain Cook's illustrious companion, discovered among Clarke's papers on file in the British Museum, an until then unpublished memorandum of the trip, which had, for no understandable reason, been omitted by previous editors. *The Times Literary Supplement* printed some excerpts from that memorandum which I stumbled upon one summer's day at Perth. That it dealt with my great ancestor can be readily seen from the following. Here is a brief *résumé* of the history: « 10 December 177-. A deplorable incident is delaying our departure from Othaiti. During the night between the heighth and the ninth, two young soldiers of our marine complement deserted our ship with the complicity of the Indian (*sic*) population. These white men, having wives on the island, are not Othaitians. On the other hand, they are bound by contract to go back with us on the return voyage to England by the north-west course, which the British Admiralty ordered Captain Cook to chart. This desertion will be punished in the usual manner, and the captives are going to be put in chains.

« *11 December*. We have taken several natives as hostages. They have given over to us one of the fugitives. Captain Cook, whom we have advised of this by a speaking trumpet, orders the anchor weighed on board the *Resolution*; he intends to profit by a breeze that has sprung up and to clear the bay; he is headed for the north, whence duty is calling him. He gives us orders to follow him as soon as the other deserter is captured, which should not take much longer. I have been threatening the natives and in turn have made them promises of gifts, but nothing has availed; the second white man is not to be found. Angered for having been tricked in this manner, I also gave orders to set sail. Backed by the scholars of the expedition I addressed the assembled crew of the ship, scathingly branding the traitor as he deserved. The other deserter has been put in the bottom of the hold.

« *12 December*. We have cleared the bay, but land is always in sight. Suddenly, two sailors of my crew stand forth and approach me; they come as a delegation to ask me in the name of their comrades to go about and head back for Papeete in order to look for their fellow-soldier. I refused to comply with their request. Presently, from the fo'c'stle, I hear mutterings, then loud imprecations, and finally shouts: 'Hurrah for Othaiti! To the devil with the North-West Passage!' Was a mutiny going to break out on board the *Dauphin?* The *Resolution* is no more that a vanishing speck on the horizon. What I had been feeling for some time, now seemed to present itself to me as an actual fact. Indifferent to the glory of Great Britain, glutted with the delights of Capua, a number of my crew desires, as in the case of Circe, to return to the island of pleasures. It is at this juncture that Dr. Oliver MacPerron comes up to me. This great scholar, the most renowned of our body of learned men, appears to be in the clutches of an emotion which surprises and shocks me in so serious a man. For he is speaking for himself as well as for the six sailors who are making common cause with those rebels and who now want to return to Othaiti in order to take wives there themselves as well. 'I myself, my dear Clarke,' said the doctor, who looked quite pale, 'will make it my personal duty not to forsake those youngsters. I shall watch over them and their companions, while, at the same time, I shall endeavor to teach the Indians the few things that I know. What matters my country, my Scotland, my family, when I am confronted with the choice of undertaking a noble task such as this one? I shall turn the minds of those good savages from their puerile superstitions, and I shall make industrious artisans out of those lazy, indolent people, for the greater glory of the Lord, of science and of King George! »

« MacPerron had scarcely finished speaking when renewed shouts of 'Hurrah for Othaiti!' were hurled at me across the deck from the bow of my ship. Doctor Oliver takes my hand in his, and the entire crew sink onto their knees. Now I understand that I am not the stronger of the two factions on board. Captain Cook is too far out of reach to come to my aid. It will avail me nothing to blow out the brains of the Scotsman. So I pretend to fall in with the demand of the mutineers. 'After all,' I say to them, 'it is a great experiment for the furtherance of civilization that you are about to attempt; and Dr. MacPerron, one of the most notable members of the Academy of Medicine, is going to guide you in it.' Thus, feeling death in my soul, I gave the order which they so ardently desired.

« *13 December.* This night the *Dauphin* is once more anchored in the waters of Papeete. She is being welcomed by a hundred canoes, decorated and illuminated by lanterns, and hailed by the entire population, which consists for the largest part of women, who dance on the shore to the accompaniment of flutes. In the midst of the delirious excitement which has seized everybody, the first deserter is freed and brought ashore, where his comrade is awaiting him. But the incident which brings my anger to a climax is to see old Dr. MacPerron, this 'honourable' Scotsman, carried about in triumph on the shoulders of the mob, singing *Annie Laurie* like a school boy. How can I describe my gaping astonishment as I perceive running toward him from the 'aboriginal dwelling', where he lived under the pretext of studying science a number of young girls who throw themselves into the arms of the austere scholar, fondling him as if he were a precious treasure returned. Thus this honourable associate member of so many foreign academies has forsaken the path of duty, and has betrayed science to revel at the antipodes of civilization in the enjoyment of unrestrained voluptuousness, so abundant on this too happy island. »

What followed this account by the man Clarke was of no further interest to me, since there was no more mention made of my grand-uncle. At first I felt the keen desire to strangle this slanderer who was hurling this libel at me from across the centuries that had passed — for having cast on one of my family the suspicion of such hypocrisy and misconduct. I thought the matter over and became calmer. The apparent exactitude of Clarke's account, so faithfully rendered and reliable on all other points, made it difficult to cast doubt on it in this instance. And what interest could he possibly have in lying in this case? Little by little I became convinced of his truthfulness and was forced to abandon every doubt as to the weakness my grand-uncle had succumbed to. So this had been the human — the all too human conduct of the one man who, since my childhood, had been held up to me as the great shining example! Then my thoughts travelled back to my own stay in Tahiti. In my mind, I saw again the island with the blue cocoanut trees, the marsh roses, full of toads, I seemed to feel again the caressing sweetness of the evenings and the sweetness of those young girls, adorned with flowers. . . . Had I myself not been susceptible to it all? A most strange adventure which fate — or was it fate indeed? — had caused to be repeated in the same family, one hundred and fifty years later! Yes, I myself had been the victim of the very same enchantments against which my grand-uncle had found himself unable to resist, and under the same flamboyant flowers, the same hibiscus which had been the witnesses of his shame. . . . More fortunate that he had been, I have come back and I have seen once more the Grampian mountains and the beautiful Caledonian lakes. But even today, when I am giving my lecture course on tropical diseases at the University of Edinburgh and am seated in the same chair which in years gone by was occupied by my grand-uncle, I sometimes say to myself in a very low voice that among the afflictions that one may contract in those distant countries I should not pass in silence over the most dangerous one of them all, that illness which the romancers in their books call happiness. . . .

X
The treasure in the mouth
of the dragon

The story related here goes back to the days during the War, when the young emperor had not been exiled to Tien-Tsin, where he is today. It was during the time when President Hou was enjoying his short-lived sway at Peking. In the north of China, presidents were succeeding one another, their terms not lasting more than several months at a time; but then, nobody attached much importance to presidents. They did not make the soldiers moderate themselves in their pillaging, nor did they cause the diplomats to retrench in the number of cocktails they consumed, nor did their comings and goings result in the journeymen carpenters polishing any less coffins than before. When autumn came, and everybody returned from the places where they had been indulging in a country life during the summer, we formed among the Europeans in the Legations Quarter a certain clique of consular and diplomatic attachés, bank employes and several girls or young women who did not play bridge or collect fake Ming antiques. Over-stimulated by the dry autumn air of North China, never going to bed, always anxious to start some new game, ready for any prank that

The treasure in the mouth of the dragon

was original enough, we constituted a sort of « tribunal », something like the Court of Proctor's Clerks in the old parliament of Paris, not in the least disposed to work, hardly ever home before sunrise, somewhat rowdyish and perfectly carefree. Every day one or the other of our crowd would think up some unpublished manner of amusement, launch a new fad, set the fashion of the day, which the rest would follow with enthusiasm. The most daring among us was Armand de Mussegros, the son of the French Minister. A great gambler and drinker, who had risked his neck a thousand times in taking dangerous obstacles on the jump, he was as famed for his remarkable luck in betting on the races at the Pekin and Shanghai tracks, as he was renowned for his excellent good humour and graceful off-handedness under all circumstances. He was born in Peking and spoke Chinese fluently. Lea Mallry, of the British Legation, and Clotilde van Meulen, the American beauty of the Customs Office, swore by him, the one in blond, the other in brunette, — those two languages of flowering womanhood. Armand de Mussegros had brought back a thousand novelties from a recent trip to Europe, with which to gladden life in Peking for weeks to come; toy gramophones, new slang expressions, stunning clothes, the latest motor cars and games nobody had ever heard of. While a novelty at the time of which I am writing, today everybody has heard of the « treasure hunt ». A sum of money is collected, sewn into a handkerchief and hidden, by the one in charge of the game, in some spot unknown to everybody else. The game consisted in picking up and following the trail and discovering the hiding place; the first to arrive would win the treasure. In order that this game be accompanied by the greatest possible excitement, the treasure should be hidden in some quite unlikely place, for instance on a third person, not in the least aware of what is going on. To lead the way to the goal, a complete series of written directions is used, which are again secreted in various places, difficult to find and which, as in « Treasure Island », indicate the trail from the one to the next. When Mussegros first made the game popular in Peking, it was indeed the rage. Every night there would be peregrinations about the town, unannounced visits, searches, surprises parties, whole detachments of young people in shorts and knickers and with hornrimmed spectacles breaking from sudden ambush, piling into motor cars, descending upon the native district in rickshaws, scouring the open country on horseback among shouts and laughter and the neighing of the ponies, leaving a trail of empty champagne bottles and followed by the curses of the ma-foos. Revolutions, civil wars, executions — nothing mattered to us. We took our fun right in the midst of belligerent uprisings, just as the Chinese peasant goes on with his work while battles are being fought around him.

The treasure hunt which I shall describe held several surprises in store for us and has remained a famous episode in Peking. The conspirators had met in the Heavenly Temple at the cocktail hour. Under the red portals, which open onto the main thoroughfare, a street crowded with carts rattling along on grating wheels, wedding processions, donkeys, Fords, funerals, dromedaries, there stood a number of American automobiles and several horses with loosened harness, attended by grooms. On the bridle path, in groups of twos and threes, the Europeans gave their horses both spurs and broke into a gallop which made the dry earth quake under the hoofs of their mounts. Even under trees, in shadowy lanes, the earth was baked at the end of a torrid summer. Rose-coloured pavilions with roofs of varnished tiles alternated portions of crumbling walls, secret gardens, serrated like labyrinths by partitions of sweet-smelling hedges divided into compartments, paved with flagstones, intersected by brooks and ponds, reminding somewhat of the Alcazar in Seville. At last the cavalcade came upon vast clearings, sites of temples long since disappeared, nothing remaining now but the marble foundations and underground passages, covered with green growth, losing themselves in still lower regions. There, the ponies fastened to tamarind trees, our group of young Europeans resumed their plotting under the leadership of Armand de Mussegros. Lea Mallry, blond and slight, dressed in Oriental style to spite her Nordic face, reminded of the heroines depicted in Rackam's and Dulac's drawings, so perfectly British in the frame of « A Thousand and One Nights. » Clotilde van Meulen was a reddish brunette, disillusioned and pessimistic; but everybody adored her for the way in which she would say: « I don't know how to make anybody like me. » She made a magnificent figure on horseback and was never lagging behind when it came to engaging in some frivolity.

« All I can tell you », said Armand de Mussegros, tapping his boots with his stick, « is that the date is set for tonight. The treasure amounts to 1,200 Mexican dollars. This time I have 'touched' the Russo-Asiatic Bank and also made Mr. Kennedy, of the Shanghai Bank, contribute. The money, my friends, is already hidden in its appointed place, awaiting your dexterity, your versatility in detective stunts, your knack in second story work and housebreaking, to be discovered and belong to you. The start is to be after dinner tonight at one o'clock, from the entrance of the Peking Club. In spite of all the obstacles put in our path nowadays by the ill-fated Chinese, the treasure, if all goes well, should be located inside of two hours. Ask me no more, for I myself do not know anything besides what I have just told you. Besides, in life as well as games, I have always preferred to be with those who are searching for treasures, rather than with those who possess them, even if but temporarily. »

« I have been told, confidentially, that we might as well be prepared for an expedition quite out of the ordinary. Willy Orkowsky hid the money this time, and Slavonic people have a good deal of imagination », said Clotilde van Meulen, while exercising the nickel cocktail shaker with her shapely arms.

« The obstacles put in our path by these ill-fated Chinese, » to which Armand de Mussegros had just alluded, consisted of nothing less than a battle that was about to take place in the suburbs of Peking between the armed forces of some warring Chinese factions. For some days there had been symptoms indicating that a conflict was approaching; one in particular was that President Hou had taken flight from the Tartar district of the town and taken refuge, which he had assured for himself and his collection of monochrome vases, two days ago, in the cellars of the Japanese Legation.

That same evening, at the appointed hour, our merry crowd gathered in full strength on the macadam road that leads through the

301

postern gate of the Legations Quarters and from there, past the fortifications, on to the Grand Hotel. Those who gathered in front of the Peking Club were mostly of American, British, Italian and French nationality. Keeping his part of the rendez-vous, Willy Orkowsky, the dandy of the Russo-Asiatic Bank, a Russian daredevil and caustic humorist, stepped out of the club and, as he had done many times before, handed to Mussegros, the chief of the treasure hunters, a folded and sealed piece of paper.

« Here are your instructions », he said. « The paper chase may now commence. My wishes to all of you are that you will not have to spend a sleepless night, (he laughed when he said that), although, almost anything is possible. For my part, Mussegros, I lay you a wager of a dozen bottles of champagne that you are going to return empty-handed. »

The paper was opened, and it contained the following:

« Visit, without delay, the Chinese paintings of W.F. Benserade. Have him show you particularly the one with the two white geese, signed Wan-Kou-Siang. You will then learn that the treasure is hidden in the mouth of the dragon. »

During the few hours which had elapsed, between the meeting of our band at the Heavenly Temple and the second foregathering, strange events had occurred somewhere else. Although, during dinner, which was particularly animated and moistened considerably by grand vintages, we scarcely bothered about what had happened. In brief, this was it: Marshal Tchai and General Atchi-Toung, his enemy, had put the strength of their unequal forces to the test in the suburbs of Peking. A battle had been raging since sunset, and panic had seized the Chinese inhabitants of the town. It was just as well that we heard about it, for we were bound to make our own observations of the disturbances a few hours later.

A bright moon was in the skies. The yellow dust of the afternoon had settled down when we started, some in rickshaws and others in automobiles, down the dark streets. We crossed the Jade canal, circled around Coal Mountain and reached the neighbourhood of the Catholic cathedral. There W.F. Benserade had his house. He was an original old man, very conservative, with a skin that just suggested a touch of yellow, but a good man who enjoyed, because of his collections, great prestige among the legations. He did very little entertaining and lived in the Chinese manner, surrounded by « boys ». Armand de Mussegros, who was in the lead, rang the bell. The doorkeeper, frightened at the sight of so many people crowding the narrow alley at such an hour, only undid the latch of the door. His master had gone to bed. However, in response to the racket we made with our klaxons and horns, he got up and came to the door in a dressing gown, blinded by the glare of our automobile searchlights. We greeted him with shouts of hurrah. Lea Mallry, treating him to her most seductive smiles, suggested that he open some champagne for us. Benserade, smitten by her charms, opened his house to the crowd. Presently, with the incredible dispatch of the Chinese servants, a supper was served to which we did ample justice.

« Now », whispered Armand de Mussegros to us, « to work! »

« Before we leave you, my dear Benserade », said Lea Mallry, « may I ask a favour of you? I should like to see once more those two white geese among the nymphs, — that exquisite Ming painting you showed to me one day. »

As a devil his pitchfork, Benserade was holding his collector's furcated bamboo and unfurled the long scroll. While he had his head raised to fasten the painting on a nail high up, a small piece of folded paper fell from the roll as it unfolded and dropped to the floor; Mussegros quickly picked it up and put it into his pocket.

While we all waxed politely ecstatic over the geese, signed Wan-Kou-Siang, we were making signs to one another, betraying our impatience to be off. At last we hurriedly slipped away.

No sooner outside, Armand de Mussegros unfolded the paper and read by the light of the automobile lamps:

« After the painting the ceramics. Go now and ask Paul to show you his violet monochromes signed Kien-Lung. »

It was only a few minutes later that we were knocking at the door of the famous antiquarian, as he lived in the same district. Paul was dining, surrounded by his sons and his clerks, all seated about a patriarchal table, for a Chinese mercantile establishment treats its employees as if they were all members of the proprietor's family. He bowed politely and offered us tea, while he wished he could send us to the devil. Yet, he did no such thing, because he recognized in our crowd the sons and daughters of some of his best customers. He acceded to our requests, opened a lacquer chest and showed us his violets, the monochromes.

« Have you any that are signed? » asked Mussegros.

« Yes, Sir. Those two bowls have at the bottom and on the back the monogram of the Emperor Kien-Lung. »

We at once seized upon these. What mysterious hand, true to the pact of the rendez-vous, had deposited there the small piece of paper, folded four times, that fell from one of the bowls? This little paper sent us, as in the game of Mother Goose, among the religious Irish girls. These we did not have to arouse, however (it was now two o'clock in the morning), because, fastened to the gate of the convent, we found written instructions, sending us to the Hotel des Wagons-Lits, room twenty-eight. It was the apartment of the British commercial attaché, an elderly and most respectable gentleman, whom everybody would suppose to be asleep at nine o'clock, but whose bed we found empty at three o'clock in the morning. The following prophetic note was pinned to his pillow:

« Refresh yourselves, for the last trial is a hard one. You will now play against difficulties. In the Street of the Swallow there is a certain house, the master of which is away. It will not be easy to gain entrance to it. But once arrived there go straight to the drawing-room and you will find the red dragon. Courage! The treasure is in the dragon's mouth. »

« By God! » exclaimed Mussegros. « Here is sport! The red dragon! This fellow Orkowsky has the cheek of all the devils. That house is the President's own residence! Yes, President Hou — the same who has taken refuge in the Japanese Legation. I know his drawing-room well, having been there often. Orkowsky and I were there for dinner only a week ago and we laughed at that same red dragon because we found that it resembled Roosevelt. Let's be on our way to the Street of the Swallow! »

As we made our progress through the Chinese section of the town we saw that with the end of the night the panic had spread considerably. We soon began to doubt that we should be able to reach the President's house at all — or rather his wife's house, since he himself had fled, bethinking himself in time of the circumstance that the Legations Quarters are inviolable. In the haste of making his choice between honourable suicide and the advantages of flight, Hou had indeed made short shift of his family, to which, whith the exception of the illegitimate members, no heart-strings tied him. Marshal Tchai, we were informed, had just routed the governement forces and had, two hours ago, occupied that part of Peking. The city was now virtually in his power. Anxious to be in the possession of hostages, he had strung around the President's house an imposing force of soldiers and Mongolian horsemen, that looked rather like a squad of gaolers.

However, Armand de Mussegros was not to be stopped by such a trifle. He presented his credentials and had himself conducted before the marshal; he expressed to the latter, in Chinese, his desire to enter the President's house, and he did this with such pomp and flourish as if he were bent on an important diplomatic mission. As a pretext he stated our business to be that of an official investigaton. The marshal smiled, but did not pronounce an opinion, afraid that he might spoil his front; but meanwhile, a number of couriers, spies and counter spies were being sent in every direction, to make certain of the identity of these young Europeans. Bitter tea was offered to us in a most ceremonious manner. An exceedingly courteous conversation started, long drawn out, incredibly patient, lasting till daybreak. The ladies began to show signs of fatigue, and Lea Mallry had exhausted her supply of rice powder, while Mussegros carried on by virtue of sheer tenacity and perseverance. It was daylight, the cicadas began their music, the marshal yawned. He gave in: The President's residence was opened to the treasure hunters. Leaving our three automobiles at the door, we entered the interior courts of the house through round openings. The police commissioners were intimidated, the guards stood aside, and their varied and extraordinary weapons no longer endangered our lives.

Inside the house numerous servants were scurrying about, pursued by geese and Guinea-hens. In pursuit of our treasure, we reached the first dining-room, then a drawing-room, which Mussegros knew well.

305

East India and company

This was the place. Already a number of marauders, disguised as police, had begun carrying off the furniture.... Alas, they had started with the red enamel dragon. They had taken off our treasure! We had arrived too late.

« We have been robbed! » exclaimed Mussegros.

We were just about to leave this room, which now looked much more like a waiting room in a railway station than a Chinese drawing-room, when the full-length portrait of the President, which graced one end of it, was being moved my main force, undoubtly from the rear, and swung aside like a shutter. Through the window-like opening which it made in the wall, a courtyard presented itself to our view in the light of the rising sun, and in this courtyard a veritable mobilization of the presidental retinue was taking place, the sight of which we shall not soon forget. At the head of the procession was an aged lady of high rank, looking very green, who walked with the aid of a black cane. She was surrounded by her daughters, in bright jackets, followed by the concubines in plum-coloured silks, servants of every rank, stable attendants, kitchen maids and candy cooks, physicians and porters.

« Why, there is the President's wife! » exclaimed Clotilde van Meulen.

Behind her, standing out from among that mob, a huge Chinese, his torso naked, and wearing a head-dress consisting of a fresh melon, carried on his arms a child, covered with silver trinkets.

« And that, without doubt, is the President's youngest son! »

« I recognize her perfectly, » said Mussegros. « She dined at the Legation about a month ago. »

A crowd that gathered on the walls and in the trees, apparently desirous to display their sentiments as being on the marshal's side and court his good graces, expressed their hostile attitude at the sight of the President's wife by hurling stones and imprecations.

« If they should set fire to this house we shall be broiled alive in this trap », remarked Lea.

« She is right », assented Clotilde. « It's a pity about the treasure, but it is high time that we left. »

We beat our retreat to the street where the three treasure-hunting motor cars were awaiting us. But when we reached them they were

306

The treasure in the mouth of the dragon

already occupied. In fact, having learned that these cars belonged to Europeans and were going back to the Legations Quarters, they had been taken by assault, under cover of the general state of turmoil, by the retinue of the President's wife, most anxious to be reunited with their master, President Hou, in safe hiding at the Japanese Legation. We finally got under way, after dropping the bunched humanity that had ensconced itself on the running boards of our cars. As it was, these were filled to three times their capacity. What were we to do with those ravishing concubines, not to mention the President's wife, who kept her face covered by a fan? Since we could not very well scatter them along the streets, we had to take them with us. The marshal was asleep, and we dit not waken him. The guards, thinking that the Europeans had special orders, presented arms and let us pass with military honours. The President's wife, her face tightly squeezed in between two compresses of green silk, which encompassed a very bad headache, closed her eyes and let herself be led. This phantastic procession went through the streets of Peking at sunrise and finally arrived at the Legations Quarters. The gates, due to the disturbances, were closed and guarded. We got out of the cars to have them opened. Suddenly, Armand de Mussegros, who had walked around the back of the motors, gave a shout. We all turned around.

« Look here! » he cried. « On the trunk racks! »

Not content to see themselves brought to a place of safety, the President's wife and her retinue had tied to the rear of the cars and to the luggage carriers all sorts of valuables, and among them Mussegros had just discovered a large red enamel dragon, the same that had strayed from the President's drawing-room. It looked like a cat that had curled up there and frozen to death. Lea plunged her hand into the dragon's mouth and took from it, sewed up in a handkerchief, the treasure. We divided it among us.

« This is the first time », said Mussegros, « that, in spending a sleepless night, I did not lose any money, but even gained some! Here's to President Hou! »

307

Table des matières

Table des matières

ACHEVÉ D'IMPRIMER
LE 10 SEPTEMBRE 1987
SUR LES PRESSES DE
L'IMPRIMERIE HÉRISSEY
À ÉVREUX (EURE)

N° d'éditeur : 0022
N° d'imprimeur : 43328
Dépôt légal : septembre 1987